60 0331477 3
TELEPEN

KU-009-726

LA VOIX DE MARIANNE

ESSAI SUR MARIVAUX

DU MÊME AUTEUR

L'imaginaire chez Senancour, Corti, 1966, 2. vol.

Littérature française, XVIIIe siècle, t. 3. Arthaud, 1976.

Sade, Denoël, 1976.

Le journal intime, P.U.F., 1976.

Un dialogue à distance : Gide Du Bos, Desclée de Brouwer, 1976.

L'écriture-femme, P.U.F., 1981.

Stendhal autobiographe, P.U.F., 1983.

La musique des Lumières, P.U.F., 1985.

Senancour romancier, SEDES, 1985.

Le siècle des Lumières, MA éditions, 1987.

La littérature de la Révolution française, P.U.F., « Que sais-je ? », 1988.

N° d'édition : 915
ISBN 2-7143-0229-7

BÉATRICE DIDIER

LA VOIX DE MARIANNE

ESSAI SUR MARIVAUX

LIBRAIRIE JOSÉ CORTI
1987

PRÉAMBULE

De l'œuvre romanesque de Marivaux, on a toujours distingué *La Vie de Marianne* et *Le Paysan parvenu* comme les deux faces d'un diptyque qui se répondent et qui s'opposent. Nées du même romancier, et à peu près à la même époque, ces deux œuvres pourtant divergent plus qu'elles ne se ressemblent. *Le Paysan parvenu* s'intercale très exactement dans le cours de la publication de *La Vie de Marianne*. On sait que ce roman parut à un rythme lent et qui s'étale sur plus de dix ans, puisque la première partie paraît en 1731, et que les neuvième, dixième et onzième sont mises en vente en 1742, tandis que *Le Paysan parvenu* se répartit sur les années 1734 et 1735, c'est à dire entre la seconde et la troisième partie de *La Vie de Marianne*. Il est très difficile de connaître les dates précises de composition, mais, à s'en tenir aux dates de publication, *Le Paysan parvenu* prend place exactement après la scène du cocher qui termine la seconde partie de *La Vie de Marianne* et qui appartient à un registre plus réaliste, plus populaire, qui fait exception dans *La Vie de Marianne*, et ressemble davantage justement au ton du *Paysan parvenu*.

Certes des points de ressemblance existent entre les deux romans ; mais finalement ils sont assez limités. Tous deux semblent inachevés, pour des raisons qui ne sont peut-être pas les mêmes, ils possèdent deux « tempo » radicalement différents. Le rythme de parution est peut-être déjà un indice : onze mois entre le début et la fin (provisoire) du *Paysan parvenu* ; onze ans entre le début et la fin (non moins provisoire et pourtant, là aussi, définitive) de *La Vie de Marianne*. Mais dans le récit lui-même, le contraste est beaucoup plus frappant. Jacob mène son existence à belle allure ; les événements se succèdent à un rythme allègre, sans que le héros s'attarde trop à y réfléchir, ni au moment même, ni ensuite, quand il les revoit dans le miroir de sa mémoire. Marianne, elle, ne cesse de s'analyser, et le rythme du récit est d'une belle lenteur de grand fleuve des plaines. Jacob est un paysan, dont l'origine ne fait aucun doute ; Marianne appartient à la noblesse ; mais il lui reste à le prouver, puisque sur sa naissance plane un doute que tout son récit ne parvient pas à dissiper. Jacob et Marianne racontent leur vie à la première personne du singulier, et longtemps après les événements lorsqu'ils sont l'un et l'autre retirés du monde. « Je vis dans une campagne où je me suis retiré », dit Jacob. Mais, il écrit ses *Mémoires*, son interlocuteur est un éventuel lecteur. Marianne, elle, envoie des lettres à une amie dont la présence se fait sentir à plusieurs reprises et dont nous aurons à analyser le rôle.

On peut toujours s'ingénier à déceler des analogies de détail dans les deux récits, retrouver chez l'un et l'autre héros un bonheur d'être à Paris, établir des correspondances entre la fascination qu'exerce sur Jacob le pied de Mme de Ferval, et celle non moins troublante que ressent Valville devant le pied foulé de Marianne. Nous ne multiplierons pas ces exemples ; ils ne pourraient d'ailleurs pas l'être très longtemps. On retrouverait finalement plus d'analogies de ton entre *La Vie de Marianne* et un texte bien sommaire, mais fort intéressant : les *Mémoires d'une dame retirée du monde* que Marivaux donne au *Spectateur Français* (feuilles 11, 18, 19, in *Romans*, Pléiade, p. 883 et sq.), ou même dans *Lettres contenant une Aventure,* qui ont paru au *Mercure* en 1719-1720. Tout se passe comme si, en écrivant parallèlement *La Vie de Marianne* et *Le Paysan parvenu*, Marivaux avait voulu recouvrir deux registres aussi différents que possible et qu'il fait assumer par une voix d'homme et par une voix de femme.

Notre étude de *La Vie de Marianne* a commencé sans parti pris, avec simplement un désir d'analyser les structures et le fonctionnement romanesques. Nous avons donc successivement examiné le rôle de la narratrice et de sa destinataire, puis le temps du récit, la composition du roman, les effets de symétrie et de dissymétrie qui s'y lisent, la présence des personnages, l'effacement des décors et des objets, le rôle de la parole et ses divers registres. Or il s'est trouvé qu'à chaque niveau de l'analyse nous découvrions un réseau très cohérent de thèmes et de systèmes qui s'organisaient autour de la féminité ; nous en revenions toujours à cette constatation qui s'inscrit dans le titre même du roman et dans le féminin qu'implique le seul prénom de Marianne : récit de femme, adressé à une femme ; voix de femme reproduisant, des années après, le propre son de sa voix et celle de ses interlocuteurs de jadis, qui, en définitive, sont surtout des interlocutrices. Opéra pour voix de femmes. Mais c'est un homme, Marivaux, qui a écrit la partition : on ne saurait l'oublier, même si notre étude ne se situe absolument pas dans des perspectives biographiques, mais s'en tient rigoureusement au texte, et presque uniquement à un seul texte. Dans n'importe quelle édition, le masculin de l'auteur s'inscrit sur la couverture du livre, comme le féminin de l'héroïne, dénonçant par cette juxtaposition l'artifice ou l'art, en tout cas la fiction. Cette voix de femme, cette écriture de femme est fictive, écrite par un homme qui est forcément tributaire d'une certaine image de la féminité liée à une époque et à un ordre social. Peut-être a-t-il mieux su que certains de ses contemporains faire entendre la voix de l'Autre, dans ce qu'elle a d'irréductible ?

I
NARRATRICE ET NARRATAIRE

Avant que Marianne dise « je », deux autres « je » se seront fait entendre. D'abord celui de l'*Avertissement*[1] que l'on peut attribuer sinon exactement à l'« Auteur », du moins à celui qui se pose comme l'éditeur, et qui se trouve dans la situation de pré-narrateur dans le texte liminaire. Conformément à une convention romanesque très fréquente, il prétend n'avoir rien inventé, n'avoir fait qu'éditer : « je n'y ai point d'autre part que d'en avoir retouché quelques endroits trop confus ou trop négligés » (p. 5). C'est finalement le critère formel qui permet d'établir la véracité du témoignage : « Ce qui est de vrai, c'est que si c'était une histoire simplement imaginée, il y a toute apparence qu'elle n'aurait pas la forme qu'elle a ». C'est donc affirmer que l'événementiel n'est pas du domaine de l'invention ; c'est aussi justifier par avance ce qui apparaîtrait comme démodé : l'abondance du discours par rapport au récit. Si c'était un roman, l'auteur se serait conformé au goût actuel : « il y aurait plus de faits et moins de morale ». Ce premier « je » est trop estompé pour qu'on puisse lui donner une physionomie ; il n'a guère pour rôle que de situer le texte dont il refuse d'être le producteur, dans le passé, hors de mode et hors du monde (« Marianne était retirée du monde »).

Marivaux n'a pas usé de ce moyen commode de reparaître, au cours du récit, grâce à des notes : procédé dont Laclos tirera le meilleur parti. L'« éditeur » ne se tait pas absolument cependant ;

1. Toutes nos références renvoient à l'édition de F. Deloffre, Garnier, 1963 (rééd., 1982).

il reprend la parole au début de la seconde partie, dans un nouvel *Avertissement*. Une continuité s'établit entre le premier avertissement et le second qui aborde exactement le problème de la place des réflexions par rapport au récit proprement dit. Mais une évolution s'est produite. Le « je » d'abord assez neutre de l'éditeur prend plus de relief, puisqu'il accepte la discussion sur le plan théorique de la distinction des genres. Refusant la paternité du texte de Marianne, il n'en accepte pas moins de se porter caution, de le défendre, et cela, en se situant dans le champ de la théorie littéraire. Ce faisant il met en cause deux questions difficiles : la sacro-sainte règle de la séparation des genres (le lecteur accepterait bien ces réflexions si le livre s'appelait *Réflexions sur l'homme* et non pas *La Vie de Marianne*) et la question beaucoup plus délicate encore du réalisme : le texte n'est pas le lieu de la fiction ; il est le reflet direct, sans l'aide de l'art, de ce que Marianne a vu et vécu. Tant pis pour le lecteur s'il n'apprécie pas la querelle de Mme Dutour avec le cocher. « Ceci n'est pas un conte » : on n'est pas si loin de Diderot.

Après quoi l'« éditeur » gardera le silence : plus d'avertissement à l'incipit des autres parties de *La Vie de Marianne*. Il ne veut plus rien dire, maintenant qu'il s'est posé en littérateur et en théoricien, et que précisément « Marianne n'a point songé à faire un roman » (p. 55). Eût-il réapparu à la fin si *Marianne* avait été achevé ? Question insoluble. Je croirais volontiers qu'une fois lancé le navire, l'armateur n'avait plus à jouer de rôle et que son effacement absolu était dans la logique même de cette affirmation par laquelle il avait rendu l'héroïne absolue maîtresse du récit, puisque ce récit, c'était sa vie.

Entre « l'éditeur » et Marianne, Marivaux a encore pris soin d'inventer un intermédiaire. Il semble que ce soit une sorte de nécessité chez cet écrivain qui, dans *Les Effets surprenants de la sympathie*, était allé jusqu'à interposer quatre personnages entre le récit et le lecteur[2]. Voilà du même coup, un nouveau « je » qui intervient au début de la première partie, et beaucoup plus proche déjà du registre de Marianne (sans être nettement retranché, dans un hors-texte, comme les Avertissements) : « avant que de donner cette histoire au public, il faut lui apprendre comment je l'ai trouvée ». « L'éditeur » avait affirmé que ce récit était véridique : il reste à

2. Cf. H. Coulet, *Marivaux romancier*, A. Colin, 1972, p. 344.

en apporter la preuve matérielle et ce sera le rôle de ce nouvel intermédiaire. Sa voix concorde avec celle de « l'éditeur » sur deux points : le récit est fait par une femme car le manuscrit est « d'une écriture de femme » (p. 7) ; il est hors de mode, et le nouvel intermédiaire apporte des précisions : « Nous voyons par la date que nous avons trouvée à la fin du manuscrit, qu'il y a quarante ans qu'il est écrit ». Il fait aussi une retouche, mais d'un autre genre que « l'éditeur ». Il n'est pas homme de lettres[3] mais homme du monde : ses soucis sont autres : « nous avons changé le nom de deux personnes dont il y est parlé, et qui sont mortes. Ce qui y est dit d'elles est pourtant très indifférent ; mais n'importe : il est toujours mieux de supprimer leurs noms » (p. 7). Les détails qu'il donne sur la découverte du manuscrit sont aussi de nature à brouiller les pistes, à réfuter d'avance toute identification : « Il y a six mois que j'achetai une maison de campagne à quelques lieues de Rennes, qui depuis trente ans, a passé successivement entre les mains de cinq ou six personnes ». Le manuscrit a-t-il été déposé avant ces changements de propriétaire, a-t-il été apporté par l'un d'eux ? Le fait qu'il ait été écrit il y a quarante ans ne permet évidemment pas de répondre. La précision même des chiffres est un leurre. On notera aussi que la situation du manuscrit est métaphorique par rapport à celle de l'héroïne dont nous allons connaître la vie. Le manuscrit trouvé figure par avance l'enfant trouvé dont il raconte précisément l'histoire.

Grâce à ce curieux phénomène d'emboîtement, Marianne, quand enfin elle prend la parole, se situe déjà, par conséquent, à un troisième niveau, le premier étant « l'éditeur », auteur des avertissements, le second, l'inventeur, au sens étymologique, du manuscrit. Or ces deux narrateurs à l'état presque zéro et qui racontent fort peu de choses, sont néanmoins assez présents pour avoir des interlocuteurs c'est à dire des narrataires. Pour l'auteur des avertissements, ce sont les lecteurs. Ils apparaissent surtout vivants dans le second avertissement où il est fait état de leurs réactions divergentes : « La première partie de la *Vie de Marianne* a paru faire plaisir à bien des gens ; ils en ont surtout aimé les réflexions qui y sont semées. D'autres lecteurs ont dit qu'il y en avait trop ; et c'est à ces derniers à qui ce petit Avertissement s'adresse » (p. 55).

3. Cf. p. 7 : « je ne suis point auteur, et jamais on n'imprimera de moi que cette vingtaine de lignes ci » :

Mais à la différence du « lecteur » de *Jacques le Fataliste*, par exemple, ces lecteurs de *La Vie de Marianne*, s'ils figurent bien dans le texte, sont néanmoins retenus sur le seuil du récit. Ils ne sortiront pas de l'*Avertissement*, et, même là, cette distance sera maintenue par l'usage de la troisième personne ; au contraire du « vous », elle n'instaure aucun dialogue : « Au reste, bien des lecteurs pourront... ». La publication de la première partie enfin, permet à ces « lecteurs » de l'avertissement d'être l'écho très exact des lecteurs réels, et par conséquent leur prolifération dans l'imaginaire n'a rien à voir avec celle qui peut se produire au sein d'une œuvre restée longtemps inédite, comme *Jacques le Fataliste*. Marivaux reprend le reproche de Desfontaines dans *Le Nouvelliste du Parnasse* : « Marianne a bien de l'esprit, mais elle a du babil et du jargon ; elle conte bien, mais elle moralise trop »[4]. Marivaux ne jugera pourtant pas bon de reproduire au début de la troisième partie, les réactions qu'avait suscitées la seconde : c'eût été un procédé sans fin, et un peu lassant. Le lecteur n'a donc plus la parole, par la suite, du moins en tant que désigné par le nom de « lecteur », car nous allons voir que le romancier lui délègue des substituts.

Un second groupe de narrataires a aussi le droit à la parole : ce sont les premiers à avoir lu le récit de Marianne, les amis du propriétaire rennois : « Je le lus avec deux de mes amis qui étaient chez moi, et qui depuis ce jour-là n'ont cessé de me dire qu'il fallait le faire imprimer » (p. 7). Mais nous n'en saurons pas plus. Ces amis, il suffit qu'ils aient marqué de l'intérêt, qu'ils aient en quelque sorte déclenché en la personne du propriétaire rennois un chaînon entre « l'éditeur » et Marianne. Pour qui connaît la profusion de ce genre de structures dans le roman baroque, il conviendra de noter l'extrême sobriété de Marivaux. Pourquoi donc avoir créé ces deux niveaux (éditeur-lecteurs ; propriétaire-amis) et en tirer un si maigre parti ? Ce procédé, s'il n'est guère utilisé ici pour les effets de trompe-l'œil chers au roman baroque, ne l'est pas non plus pour assurer une vraisemblance réaliste au récit : il est bien évident que le lecteur de roman ne prêtera qu'une réalité très relative à l'histoire de la découverte du manuscrit. Finalement les deux avertissements et les vingt premières lignes de la première partie me semblent avoir surtout pour utilité de « cadrer » le récit, comme

4. Introduction de F. Deloffre, *op. cit.*, p. LXV.

on cadre une photographie, comme on encadre un tableau : ils servent à délimiter un espace de la fiction.

Roman par lettres, Mémoires ? Il semble que Marivaux n'ait pas voulu véritablement choisir entre les deux solutions romanesques les plus fréquentes au XVIIIe siècle, avec une prédominance des « Mémoires » dans la première moitié du XVIIIe siècle et du roman par lettres, dans la seconde. Dans les deux cas, il s'agit de romans à la première personne, et les deux formules sont d'autant plus proches que Marivaux s'est privé des effets de polyphonie que permet le roman épistolaire : toutes les lettres émanent de Marianne et nous n'avons pas les réponses de sa correspondante ; nous ne connaissons ses réactions que par ce qu'en dit Marianne. La confusion entre roman par lettres et roman-mémoires est encore accentuée par la coïncidence qui s'établit entre les « parties » et les lettres : chaque lettre, tenant exactement l'espace d'une partie, atteint ainsi une ampleur inhabituelle, et le lecteur perd bien souvent le sentiment qu'il lit un roman par lettres[5]. Il ne s'en souvient guère qu'au début et à la fin des parties quoique Marivaux ait supprimé les formules épistolaires, mais parce que là, comme rarement au cours du récit, la destinataire redevient présente.

Il semble bien que cette présence de la destinataire soit même la justification la plus pertinente de l'emploi par Marivaux de la « lettre ». Si discrète en effet qu'elle soit, cette destinataire se trouve chargée d'un rôle capital : elle est en quelque sorte déléguée par l'auteur pour figurer le lecteur, dont elle assure la présence au cœur de l'œuvre, prenant le relais de ces « lecteurs » dont il était question dans l'avertissement et qui, eux, étaient trop près des lecteurs réels pour pouvoir s'intégrer véritablement dans le texte romanesque. Or cette narrataire idéale se trouve, comme Marianne, plongée dans l'anonymat ; plus que Marianne, même, puisqu'elle ne possède pas de prénom — son nom reste en blanc (p. 8). Marianne, dit l'« Avertissement », « écrivait à une amie, qui, apparemment, aimait à penser » (p. 5) : celle-ci est alors, suffisamment indifférenciée pour pouvoir permettre au lecteur une identification avec elle. Nous savons au moins son sexe, le même que la narratrice. Parce que les femmes étaient grandes lectrices de roman ? Parce

5. M. Demoris peut ainsi considérer *La Vie de Marianne* comme des « Mémoires » (Cf. *Le roman à la première personne du classicisme aux Lumières*, Colin, 1975).

que, nous y reviendrons, la féminité autorise à la fois la confidence et une certaine prolixité ? Parce que surtout s'établit ainsi un accord au féminin dans ce roman où la féminité assure la tonalité dominante.

Autrement vivante que les « lecteurs » de l'Avertissement, l'amie est, comme d'usage, représentée dans le texte par la seconde personne du pluriel. Marianne lui dit « Madame » (ex. p.429), parfois « ma chère amie » (p. 8, 57). Elle ne se détache pas assez de son rôle de narrataire pour pouvoir être désignée autrement. A certains moments pourtant un rapprochement entre narratrice et narrataire se traduit par l'usage du « nous ». Procédé habile qui apparaît surtout lorsque Marianne se trouve provisoirement elle-même en situation de narrataire : « achevons d'écouter Mme de Miran qui continue » (p. 177). A la faveur de ce « nous » s'établit non seulement une complicité mais une confusion des plans, un trompe-l'œil, puisque le plan de la narration et celui du récit sont ainsi confondus[6]. Plus curieuse encore, une formule de ce type : « On frappa à la porte. Nous verrons qui c'était dans la suite » (p. 100). Alors la narratrice qui pourtant sait fort bien de quoi il s'agit, s'identifie à la destinataire, au point de faire mine de partager son ignorance.

Les quelques éléments que le texte nous livre nous permettent-ils d'établir un portrait de cette narrataire ? En fait elle ne semble guère s'écarter de ce « narrataire au degré zéro » étudié par Gérald Prince[7]. Mais le cas du narrataire qui, dans son ignorance parfaite de tout ce qui ne lui est pas dit par le narrateur, irait jusqu'à ne pas s'embarrasser de la notion de vraisemblance[8] est rarement réalisé. Disons que le narrataire tend plus ou moins vers le degré zéro et que dans *La Vie de Marianne* il s'en rapproche assez. Pas assez pour que son portrait soit impossible. Certes la curiosité fait précisément partie de la fonction même de narrataire, fût-il réduit au point zéro. Il n'est donc pas étonnant que Marianne lui suppose cette qualité :« peut-être êtes-vous curieuse de savoir ce que je lui répondis » (p. 21). Cette curiosité est le moteur du récit. Elle se fait sentir, en particulier, à propos de l'histoire de Tervire, tant de fois annoncée et toujours remise à plus tard, comme le récit des

6. Cf. p. 75« Finissez donc, me diriez-vous volontiers, et c'est ce que je disais à Valville » ou encore, p. 157-158 « Que dites-vous de ma lettre ? J'en fus assez contente ? ».

7. « Introduction à l'étude du narrataire », *Poétique*, 1973, n° 14, p. 178-196.

8. Ibid., p. 181.

amours de Jacques le Fataliste. « Mais l'histoire de cette religieuse que vous m'avez tant de fois promise, quand viendra-t-elle ? me dites-vous » (p. 371). La narrataire doit être dans l'absolue dépendance du bon vouloir du narrateur et tout l'art consiste à faire sentir cette soumission, à la rendre tyrannique. L'histoire de la religieuse est une sorte de libéralité que fait la narratrice à son amie ; elle n'était pas prévue au départ ; elle est donnée par surcroît : « J'ai l'histoire d'une religieuse à vous raconter : je n'avais pourtant résolu de ne vous parler que de moi, et cet épisode n'entrait pas dans mon plan ; mais, puisque vous m'en paraissez curieuse, que je n'écris que pour vous amuser, et que c'est une chose que je trouve sur mon chemin, il ne serait pas juste de vous en priver. Attendez un moment » (p. 271). Nous savons que, malgré cet apparent libéralisme, le « moment » d'attente imposé à la narrataire, et par conséquent au lecteur, sera long !

Outre une curiosité générale, il est évidemment nécessaire de prêter au narrataire un intérêt spécifique pour l'histoire qu'on lui narre. Marianne fait mine de croire que cet intérêt est d'abord de pure politesse (p. 57 : « ne serait-ce point un peu par compliment que vous paraissez si curieuse de voir la suite de mon histoire ? »). A mesure que progresse le récit, l'intérêt de la narrataire se fait plus pressant. Déjà au début de la troisième partie : « Oui, madame, vous avez raison, il y a trop longtemps que vous attendez la suite de mon histoire ; je vous en demande pardon. » (p. 105) ; mais son intérêt devient passionné lorsque Marianne raconte la trahison de Valville : elle est entrée en colère contre l'infidèle et presse Marianne de lui envoyer la suite[9]. Le crescendo de l'intérêt prêté à la narrataire est bien conforme à l'esthétique romanesque : le lecteur doit s'attacher sans cesse plus au récit, ou le roman est mauvais.

Jusque-là rien qui distingue la destinataire de *La Vie de Marianne* de n'importe quel narrataire. Certaines allusions permettent néanmoins de la caractériser davantage. Et d'abord, son appartenance sociale n'est précisée que très tardivement, puisqu'au début de la huitième partie la « chère amie » se trouve appelée « marquise » (p. 375). On supposait déjà une grande distance de la narrataire par rapport au milieu de la Dutour : « le portrait que je fais de ces gens-là ne vous regarde pas » (p. 57). La destinataire

9. La narrataire est du même coup devenue passionnée de lecture : « autrefois vous ne pouviez pas souffrir un livre ; aujourd'hui vous ne faites que lire » (p. 321).

a de l'esprit, elle fait des mots qui supposent de la finesse et de l'habitude du monde (cf. p. 52 : « je laissais aller [mon visage] sur sa bonne foi, comme vous le disiez plaisamment l'autre jour d'une certaine dame »). Surtout, dès le départ, elle est posée comme ayant une connaissance que n'a pas le lecteur — et peut-être même pas Marivaux, puisque le roman est inachevé — elle connaît le secret de Marianne, elle en est même la dépositaire : « N'oubliez pas que vous m'avez promis de ne jamais dire qui je suis ; je ne veux être connue que de vous » (p. 9). Aussi est-elle douée d'une lucidité supérieure et sait-elle à quoi s'en tenir dans l'épisode de la Dutour : « ce n'est pas vous qui serez la dupe de mon état » (p. 57).

Participant donc du mystère et promettant d'y rester enfermée, la destinataire ne contribuera pas à éclairer le lecteur ; elle ne permettra pas de lever l'incertitude qui plane, non seulement sur les origines de Marianne, mais sur le lieu où elle se situe en tant que narratrice. D'où parle Marianne ou plutôt d'où écrit-elle ? Nous ne savons rien, sinon qu'elle est retirée du monde. Qui est-elle ? une comtesse. Est-elle mariée, veuve, a-t-elle des enfants, est-elle bien ou mal portante ? nous ignorons tout. Un contraste ne fait que s'accentuer à mesure que l'œuvre se déroule entre l'abondance d'informations que possède le lecteur sur Marianne-héroïne, et l'absence d'informations sur Marianne-narratrice. Nous savons son âge : « j'ai cinquante ans passés » (p. 22). Entre le temps du récit et le temps de la narration, un énorme vide ; il n'est à peu près pas fait allusion à toute cette période qui forme la seconde jeunesse et la maturité de Marianne, à cette période qui justement permettrait de la situer socialement, de découvrir le lieu de sa parole. Un seul mot — mais il est important — éclaire cette vaste nuit, un seul repère chronologique : « Il y a quinze ans que je ne savais pas encore si le sang d'où je sortais était noble ou non, si j'étais bâtarde ou légitime » (p. 9-10).

Les seules informations sur la narratrice proviennent exclusivement de sa façon de narrer ; il n'y a point d'informations extérieures qu'auraient pu fournir soit d'autres personnages dans un roman épistolaire polyphonique, soit Marianne elle-même, si, adoptant le style des Mémoires, elle avait pratiqué cette sorte de va-et-vient entre le passé et le présent dont Chateaubriand tirera une des plus profondes harmonies des *Mémoires d'outre-Tombe*. Toutes ses réflexions se rapportent au récit, jamais à sa situation présente.

Si Marianne-narratrice apparaît, c'est dans la mesure où elle souligne la distance qui la sépare de Marianne-héroïne par un détachement, une certaine ironie : « je ne jugeai pourtant pas d'elle alors comme j'en juge à présent »[10]. Certes, il lui arrive d'éprouver de l'émotion à revoir ainsi ses malheurs grâce au tain du souvenir : « moi-même ce récit-là m'attriste encore » (p. 22). Le détachement l'emporte ; il est manifeste dans l'épisode de Valville : « J'ai ri de tout mon cœur de votre colère contre mon infidèle » (p. 375), dit-elle à son amie. Peut-être la suite des événements lui a-t-elle permis de juger Valville moins coupable qu'il ne semblait : l'inachèvement du roman n'autorise que des hypothèses. La véritable raison de son indulgence, c'est qu'elle n'est plus la même. De légères touches pittoresque soulignent la distance temporelle : « Dans ce temps on se coiffait en cheveux » (p. 26). Elle se regarde, comme elle verrait une autre : « Je me souviens de mes yeux de ce temps-là, et je crois qu'ils avaient plus d'esprit que moi » (p. 8). Cette distance se traduit par certaines formules stylistiques assez curieuses, par une utilisation de la première personne ou du prénom qui souligne ce dédoublement : « Je me suis laissée dans mon carrosse avec mon homme » (p. 30). Ou encore : « Laissez faire aux pleurs que je répands ; ils viennent d'ennoblir Marianne » (p. 80). La discontinuité qui existe entre Marianne narratrice et Marianne personnage est telle que seul l'emploi de la première personne établit une identité.

Voilà donc la narratrice coupée en quelque sorte de l'héroïne tandis que tout le récit suppose justement un lien, grâce au souvenir. Et ce n'est pas le paradoxe le moins significatif de cette œuvre. La distance de Marianne à Marianne n'est finalement pas moindre que celle de Marianne à Tervire, par exemple, lorsqu'elle relatera l'histoire de la religieuse. La Mariannne de cinquante ans est une narratrice au degré zéro ; elle n'a d'autre vie que de raconter sa propre vie, comme elle raconterait celle d'une autre. Les seuls traits de caractère que nous lui connaissons sont donc relatifs à cette unique activité ; nous la savons prolixe, discoureuse, aimant l'analyse psychologique, la réflexion morale, la subtilité, indulgente comme on l'est à cinquante ans pour une fille de quinze. Elle a à l'égard d'elle-même l'attitude d'une mère pour son enfant[11], ce qui d'ail-

10. P. 254. « Ce que je vous dis là, je ne me le rappelai que longtemps après, en repassant sur tout ce qui avait précédé le malheur » (p. 347-348).

11. « J'étais comme un petit lion » (p. 46).

leurs n'exclut pas une certaine sévérité : « je parlai en déplorable victime du sort, en héroïne de roman, qui ne disait pourtant rien que de vrai, mais qui ornait la vérité de tout ce qui pouvait la rendre touchante, et me rendre moi-même une infortunée respectable » (p. 356).

Si elle parle d'elle au présent, c'est très rarement et uniquement pour expliquer la plus ou moins grande vitesse de débit du récit. Alors, suivant le rythme auquel se succèdent les « parties », elle évoque sa paresse ou son zèle. Comme si toute sa pulsion vitale se trouvait exclusivement focalisée dans ses fonctions de narratrice : « Oui, madame, (...) il y a trop longtemps que vous attendez la suite de mon histoire » (p. 105). Ou encore : « Vous voilà bien étonnée, n'est-ce pas ? (...) peut-être qu'en ce moment vous me savez bon gré de ma diligence, et vous ne la remarqueriez pas si j'avais coutume d'en avoir » (p. 165).

Si nous savons finalement fort peu de choses sur Marianne narratrice, nous savons au moins qu'elle est femme — le lieu de sa parole se situe par rapport à son sexe, plus que par rapport à sa classe sociale. Sa féminité éclate, on l'a vu, dès la découverte du manuscrit : il s'agit d'une écriture de femme à une époque où la différence entre l'écriture de l'homme et celle de la femme est évidente. De ce simple fait découle, quand le clivage homme/femme a une dimension sociale très marquée, tout un mode de narration spécifique. Cette nonchalance ou cette diligence dont nous venons de parler, seront mises sur le compte du « caprice », vertu ou défaut qui appartient au registre de la féminité : cette diligence « a plus l'air d'un caprice qui me prend que d'une vertu que j'acquiers » (p. 493). Par le mot « caprice » et tout ce qu'il contient de référence à la féminité, voilà le débit même du récit qui acquiert un caractère prétendûment féminin.

Un autre aspect, assez voisin, de la féminité de la narratrice, ce sera la justification de la digression systématique comme mode d'écriture : « Mais m'écarterai-je toujours ? Je crois qu'oui ; je ne saurais m'en empêcher : les idées me gagnent, je suis femme, et je conte mon histoire ; pesez ce que je vous dis là, et vous verrez qu'en vérité je n'use presque pas des privilèges que cela me donne » (p. 63). Cette réflexion, de façon caractéristique, fait suite à des remarques sur la parure et la nudité. En chargeant une femme de la narration, Marivaux se donnait du même coup toute licence de suivre la plus grande souplesse dans son récit. C'est par des réflexions en *a parte*, en marge du récit, que se manifeste cette liberté. Le roman féminin auquel, par un effet de trompe-l'œil, se rattache *La Vie de Marianne*, est prolixe, riche en remarques psychologiques, en retours sur soi-même. La différence de style qui existe entre *Le Paysan parvenu* et *La Vie de Marianne* se réfère explicitement à ce clivage : il y a le style des hommes et celui des femmes. Certes, il n'existe pas en France, comme jadis dans la littérature japonaise une écriture pour les femmes et une écriture pour les hommes ! les habitudes culturelles ont contribué néanmoins à distinguer la littérature des femmes, essentiellement le roman psychologique et la littérature épistolaire — et *Marianne* répond à cette double caractéristique —, de la littérature masculine, plus savante, plus sérieuse, plus objective, plus réaliste également. C'est pourquoi lorsque Marianne raconte un épisode bien digne de figurer dans *Le Paysan parvenu* : la dispute de Mme Dutour et du cocher,elle prend soin de s'excuser auprès de sa destinataire : elle risquait en effet de transgresser les normes du style féminin.

A la féminité, il faut rattacher aussi le caractère oral du récit : la littérature orale a longtemps été la littérature des femmes : contes populaires, chansons. Même s'il lui arrive d'écrire, la femme ne doit pas être un écrivain : « Peut-être devrais-je passer tout ce que je vous dis là ; mais je vais comme je puis, je n'ai garde de songer que je vous fais un livre, cela me jetterait dans un travail d'esprit dont je ne sortirais pas ; je m'imagine que je vous parle, et tout se passe dans la conversation. Continuons donc » (p. 36). Phrase habile, parce qu'elle situe bien le double leurre sur lequel repose la narration : Marianne a l'air de parler, mais elle écrit ; le lecteur croit écouter une femme ; en fait, il lit un texte composé par un homme.

La féminité de Marianne permet enfin de reprendre un thème d'ailleurs fréquent dans la littérature romanesque de l'époque : le refus d'écrire un roman. « Marianne n'a point songé à faire un roman (...) Son amie lui demande l'histoire de sa vie, et elle l'écrit à sa manière. Marianne n'a aucune forme d'ouvrage présente à l'esprit. Ce n'est point un auteur, c'est une femme qui pense, qui a passé par différents états, qui a beaucoup vu ; enfin dont la vie est un tissu d'événements qui lui ont donné une certaine connaissance du cœur et du caractère des hommes, et qui, en contant ses aventures, s'imagine être avec son amie, lui parler, l'entretenir, lui répondre » (p. 55-56). Ce texte extrait de l'*Avertissement* de la seconde partie établit une triade fort importante : féminité, littérature orale, refus d'un genre littéraire strictement codifié. Certes le roman est le plus libre des genres et celui qui servit le premier à l'expression de la femme ; néanmoins Marivaux refuse le mot même de « roman » comme une entrave. Marianne prétend ne pas avoir un « style » déterminé qui permettrait de rattacher son texte ou plutôt sa parole à un « genre ». « Quand je vous ai fait le récit de quelques accidents de ma vie, je ne m'attendais pas, ma chère amie, que vous me prieriez de vous la donner toute entière, et d'en faire un livre à imprimer. Il est vrai que l'histoire en est particulière, mais je la gâterai si je l'écris ; car où voulez-vous que je prenne un style ? » (p. 8).

Ainsi apparaît bien le choix de la narratrice, pour ce qu'il est de la part de Marivaux : une revendication d'écrire plus librement, d'échapper aux censures des esthéticiens et des critiques littéraires. L'écriture de la femme, malgré toutes les entraves de la société et malgré le fait qu'il s'agit ici d'une écriture simulée, demeure une écriture de liberté. L'absence de détermination sociale de la narratrice va dans le même sens ; elle peut bien être « comtesse », le monde peut bien lui avoir « trouvé de l'esprit » (p. 8), tous les manques d'informations que nous avons relevés précédemment prennent pleinement leur sens. La narratrice, en parlant d'un lieu finalement indéterminé, parle essentiellement en femme. Certes Marivaux n'est ni le premier, ni le dernier romancier à avoir chargé une femme du « je » narratif. Rares sont ceux néanmoins qui ont poussé l'expérience aussi loin dans la reconstitution du style de l'autre, de ce que le XVIIIe siècle peut considérer comme l'essence du style féminin et qui pourrait bien consister, en dehors des éléments que nous venons d'évoquer (importance de la parole, refus d'un genre), dans un refus plus général de l'ordre logique — d'où la justification systématique de la digression — et dans la prédominance de la subjectivité.

La féminisation du « je » narratif connaît, dans *La Vie de Marianne* un effet de redoublement assez subtil, grâce au récit de la religieuse, longtemps promis par Marianne. A la fin de la quatrième partie on lit : « Je vous annonce même l'histoire d'une religieuse qui fera presque tout le sujet de mon cinquième livre » (p. 216). Or, à la fin de la cinquième partie, le lecteur n'est pas plus avancé : « Je n'ai pas oublié, au reste, que je vous ai annoncé

II
LE TEMPS DU RÉCIT

Si l'on exclut les « avertissements », *La Vie de Marianne* est donc constitué par le récit que fait Marianne, dans sa maturité, des aventures qu'elle a vécues dans sa jeunesse. La dimension temporelle se trouve inscrite dans le texte, comme condition de son déroulement — et doublement. Le sens du roman provient de cette distance temporelle entre un vécu et un narré. Deux temporalités coexistent, même si le temps de l'héroïne est beaucoup plus sensible au lecteur que le temps de la narratrice ; les rapports d'ordre, de durée, de fréquence[1] qui relient ces deux temps semblent bien le seul facteur qui structure véritablement un roman qu'un lecteur négligent pourrait croire se dérouler en toute nonchalance.

Marianne, quand elle écrit sa vie, est une femme mûre ; mais ce présent de Marianne, le lecteur aurait tendance à l'oublier si pourtant ce n'était pas à cette narratrice qu'il appartient de régler le rythme selon lequel le lecteur connaîtra les aventures de la jeune fille. Elle n'use de son pouvoir qu'avec une relative sagesse, qui n'exclut pas cependant le caprice.

Pour les grandes lignes, dans la diégèse, l'ordre de l'histoire,

1. Les études faites ces dernières années sur le temps du récit ont été nombreuses, et pleines de talent. Parmi les plus éclairantes, je retiendrai celle, devenue classique, de Gérard Genette, dans *Figures* III (Seuil, 1972). Je lui emprunte une terminologie qui a l'avantage d'être sans équivoque. (Sur la distinction entre l'histoire, récit, narration, p. 72 ; sur l'ordre, la durée, la fréquence, p. 78). On ne peut pas non plus parler du temps, sans du même coup, avoir à confesser une dette à l'égard de Georges Poulet. (*Études sur le temps humain,* II, Plon, 1952).

est le même que « l'ordre pseudo-temporel » du récit. A peine avons-nous énoncé cette vérité générale, que nous éprouvons le besoin de voir le texte de plus près. Déjà, avant d'opérer ce flash-back qui ramène Marianne quarante-huit ans en arrière (de ce présent où elle a cinquante ans, à ce début de son histoire où elle en a deux), comme pour combler ce grand vide, qui restera énigmatique, puisque son histoire s'arrêtera à la vingtième année (il est assez peu vraisemblable que Marivaux ait eu l'intention de faire raconter par l'héroïne son aventure jusqu'au moment où elle aurait rejoint le présent de la narration), le romancier va poser deux jalons temporels : ils se situent tous deux dans cette période mystérieuse qui s'étend de la vingtième à la cinquantième année de Marianne. « Il n'y a pas plus d'un mois, par exemple, que vous me parliez encore d'un certain jour (et il y a douze ans que ce jour est passé) où, dans un repas, on se récria tant sur ma vivacité » (p. 8-9). On ne peut exactement parler d'analepse[2] puisque l'histoire n'est pas commencée. D'autre part cette référence temporelle est double, puisqu'il y est fait allusion à un passé très proche (« un mois ») et à un autre beaucoup plus ancien (« douze ans »). Mais ce retour en arrière est d'une amplitude moindre que celui des « quinze ans » dont il va être question, peut-être parce qu'il est nécessaire pour que l'esprit de Marianne soit officiellement reconnu dans les assemblées mondaines, que sa naissance ait été définitivement établie : « Il y a quinze ans que je ne savais pas encore si le sang d'où je sortais était noble ou non, si j'étais bâtarde ou légitime » (p. 9-10). En l'état d'inachèvement où se trouve *La Vie de Marianne*, on peut faire des hypothèses, Ce point situé quinze ans auparavant, c'est à dire quand Marianne avait trente-cinq ans figure peut-être le but jusqu'où Marivaux a eu un moment l'intention de conduire le récit de l'histoire de Marianne ; ainsi le lecteur aurait été satisfait ; selon les habitudes romanesques, le roman se serait terminé sur une reconnaissance et *La Vie de Marianne* aurait été menée jusqu'à l'âge où au XVIIIe siècle on considérait que venait pour la femme l'heure de la sagesse, c'est-à-dire d'un moindre intérêt romanesque. En tout cas, ce qui frappe dans ce préambule, c'est la précision chiffrée des distances temporelles qui, du moins dans l'état du texte que nous possédons, ne présente pas une nécessité. Cette précision (un mois,

2. G. Genette (*op. cit.*, p. 82) définit l'analepse : « toute évocation après coup d'un événement antérieur au point de départ de l'histoire où l'on se trouve ».

douze ans, quinze ans) contraste avec l'absolu silence qui plane sur toute cette période. On est donc amené à supposer soit que ces jalons, Marivaux les avait plantés au départ comme pouvant éventuellement servir, puis y a renoncé, parce qu'en cours de rédaction son projet s'était assez considérablement modifié. Soit encore, que par un effet esthétique, pour piquer la curiosité du lecteur, et, un peu comme dans un roman policier, pour l'orienter vers une fausse piste, il s'est amusé à préciser ces dates, sans aucune nécessité.

La première partie suit un ordre chronologique très exact, à partir de l'accident de carrosse qui se situe lorsque l'héroïne avait deux ans. Mais cette datation n'est pas donnée immédiatement ; elle ne l'est qu'à la faveur d'une réflexion de la narratrice adressée à la narrataire : « Je suis sûre que vous en frémissez ; on ne peut, en entrant dans la vie, éprouver d'infortune plus grande et plus bizarre. Heureusement je n'y étais pas quand elle m'arriva ; car ce n'est pas y être que de l'éprouver à l'âge de deux ans » (p. 12). Cette date se situe donc dans une historicité fournie par le récit des autres, et non dans le temps intérieur de la mémoire.

D'une façon générale, l'analepse est peu fréquente ; elle tient un certain nombre de rôles très délimités. On pourrait citer d'abord les cas où l'analepse n'est qu'un simple résumé en début de partie. Analepse d'amplitude très réduite, elle n'a d'autre nécessité que de suppléer aux éventuelles défaillances de la mémoire de la narrataire, mais aussi des lecteurs, lorsqu'une certaine distance temporelle s'est interposée entre la publication d'une partie et celle de la suivante.

Plus intéressante l'analepse qui sert à la présentation d'un personnage. Ainsi lorsqu'apparaît la mère de Mlle Varthon : « Il y avait très peu de temps que le mari de cette dame était mort en France. C'était un seigneur anglais, qu'à l'exemple de beaucoup d'autres, son zèle et sa fidélité pour son roi avaient obligé de sortir de son pays ; et sa veuve, dont le bien avait fait toute sa ressource, partait pour le vendre » (p. 348-349). Propos repris de façon encore plus elliptique un peu plus loin à propos de Mlle Varthon (« son père était mort, sa mère partait pour l'Angleterre »). On notera à quel point Marivaux s'interdit les facilités du roman à tiroirs. Il ne tenait qu'à lui de raconter l'histoire de ce seigneur anglais, de ses aventures politiques et amoureuses. Libre au lecteur de l'inventer : Marivaux se contente d'une notation strictement exigée par le récit principal.

Une fonction fondamentale de l'analepse, c'est d'être explicative. Comment se fait-il, par exemple, que tout le couvent connaisse l'histoire de Marianne, sans qu'elle l'ait racontée à quiconque, sinon à la supérieure ? « Dès le soir même, deux heures après que je fus dans la maison, et l'avais (...) priée de ne point divulguer ce que je lui avais appris. Hélas ma chère enfant, je n'ai garde, m'avait-elle répondu » (p. 232). Même procédé à propos des indiscrétions de Favier : « Vous avez vu que Favier s'était retirée avant que la Dutour s'en allât, et il n'y avait tout au plus qu'un quart d'heure qu'elle avait disparu quand elle revînt ; mais ce quart d'heure, elle l'avait employé contre moi » (p. 273). Les exemples les plus nombreux d'analepses se situent après l'enlèvement de Marianne. Il nous est d'abord présenté avec ce caractère incompréhensible qu'il eut pour l'héroïne elle-même. On l'emmène dans un couvent, puis chez un ministre. Le lecteur perspicace pense bien que la « dame longue et maigre » a eu un rôle. Comment se faisait-il aussi que Mme de Miran avait retrouvé Marianne précisément chez le ministre ? Tout cela le lecteur va le savoir plus tard, lorsque Marianne expliquera comment Mme de Miran a mené son enquête auprès de l'abbesse et de la sœur tourière. On aura d'abord le monologue intérieur de Mme de Miran reconstitué « c'était elle apparemment qui avait ameuté les parents » (p. 322), puis le récit de ses conversations au couvent qui se situent le lendemain de l'enlèvement et sur lesquelles Marivaux s'étend, quoique Marianne n'ait pu les entendre, et qu'il soit peu probable que Mme de Miran les lui ait rapportées mot-à-mot : voilà de ces invraisemblances mineures propres au récit à la première personne et aux limitations du champ romanesque qu'il suppose. Le raccord avec le point du récit où nous en étions avant l'analepse, va se faire alors très rapidement : « Passons là-dessus, je m'y arrête trop (...) elle courut chez le ministre, persuadée que c'était là qu'il fallait aller pour savoir de mes nouvelles et pour me retrouver » (p. 325).

Il est un mode de retour en arrière assez particulier dans *La Vie de Marianne* et qui semble devoir être rattaché au caractère oral du récit : elle est la conséquence de la tendance de la narratrice à différer un élément d'information qu'elle aurait dû donner plus tôt. Ainsi les portraits de Mme de Miran et de Mme Dorsin sont remis à plus tard et le lecteur ne les aura qu'après avoir déjà vu agir ces deux dames. Au début de la quatrième partie : « avant que de continuer mon récit, venons au portrait de ma bienfaitrice, que je vous ai promis, avec celui de la dame qu'elle a amenée » (p. 166). Mais celui de Mme Dorsin ne sera fait que beaucoup plus loin (p. 214 et sq.). Pourquoi ce procédé ? Marivaux prend soin de l'expliquer par le caractère même de la narratrice : « Je suis lasse. Tous ces portraits me coûtent » (p. 214). En établissant une discontinuité, le procédé stimule certainement la curiosité du lecteur dont l'imagination a pu ainsi travailler avant que le portrait ne lui soit présenté. Peut-être plus caractéristique encore de cette façon de stimuler son ardeur, le procédé de la lecture différée d'un billet. Marianne a pris un billet de Valville déguisé en valet, au moment où Mme de Miran arrivait : elle n'a pas pu le lire tout de suite. Viennent les suppositions de Mme de Miran, les élans de générosité de Marianne, la lettre est lue par Mme de Miran, et enfin par Marianne ; c'est alors seulement que le lecteur en a le texte (p. 187-188) ; encore ce déroulement ne constitue-t-il pas absolument une analepse, dans la mesure où l'ordre suivi correspond bien à celui de la conscience de Marianne, et il est normal dans un roman à la première personne que le lecteur connaisse le contenu d'un billet non quand il est écrit, mais quand il est lu par la narratrice. La curiosité du lecteur n'en aura pas moins été suspendue de la fin de la troisième partie au milieu de la quatrième. Même phénomène à propos du billet que Valville a écrit à Mlle Varthon : nous ne le connaissons que lu par Marianne (p. 370-371), ce qui lui donne une portée, une cruauté, un intérêt qu'il n'eût pas eu sans cela. Le procédé des billets dont la lecture est différée, sans se rattacher exactement au phénomène de l'analepse, fait partie des effets de perspective qu'entraîne la narration subjective à la première personne.

L'histoire de Tervire constitue-t-elle une énorme analepse ? la seule de cette taille que contienne *La Vie de Marianne*, puisqu'elle nous ramène jusqu'au mariage des parents de Tervire — tandis que pour sa propre vie, Marianne, dans l'ignorance où elle était, ne pouvait remonter qu'à sa deuxième année[3]. D'autre part, Tervire est plus âgée que Marianne. Donc, dans l'axe temporel, l'histoire des parents de Tervire, même si elle intervient bien normalement au moment où Marianne en prend connaissance, constitue le point le

3. C'est un peu le même problème que celui de la lettre différée, puisque l'histoire de Tervire intervient bien au moment où Marianne en a pris connaissance, c'est à dire quand elle est au couvent, persuadée qu'on ne peut être plus malheureuse qu'elle. Sa place est donc fonction de la conscience de Marianne, non du déroulement historique.

plus ancien de tout le roman. Ensuite le récit de Tervire, rapporté par Marianne, est tout aussi linéaire que celui de la vie même de Marianne. On trouve néanmoins un procédé qui constitue une analepse, non dans le récit de Marianne proprement dit, puisqu'elle ne fait que répéter Tervire et suivre son ordre, mais à l'intérieur du récit de Tervire : « J'oubliais une circonstance qu'il est nécessaire que vous sachiez : c'est qu'en m'en retournant chez mon fermier avec la femme de chambre... » (p. 463). « J'oublie (...) que ce neveu, après m'avoir fait le compliment que je vous ai dit sur mon mariage... » (p. 472). L'emploi de la première personne à un moment où c'est Tervire qui a la parole, montre bien que l'oubli n'est pas de Marianne. Là encore, on aurait mauvaise grâce à revenir sur les inévitables invraisemblances du roman à la première personne,[4] et à objecter qu'il est peu vraisemblable que Marianne ait redit le récit de Tervire avec une telle fidélité, jusqu'à en reproduire les analepses. La question n'est pas là. Ces formules sont visiblement un procédé dont l'efficacité est évidente : rappeler qu'il s'agit d'un récit oral, faire sentir la présence de Marianne narrataire, stimuler l'attention du lecteur en montrant ainsi l'importance de détails qui ne l'auraient probablement pas retenu, s'ils avaient été énoncés à leur place.

L'usage de la prolepse est plus remarquable, me semble-t-il, dans *La Vie de Marianne* que celui de l'analepse[5]. L'utilité de ce procédé comme son amplitude et sa durée peut varier. La durée est en général très brève ; souvent la prolepse s'exprime dans une parenthèse et n'évoque pas des événements qui ont occupé une grande portion de temps ; souvent l'amplitude est faible aussi, mais plus souvent, indéterminée : il peut s'agir de l'annonce d'un événement très proche. Dans un grand nombre de cas, on peut distinguer finalement des constantes qui permettent d'analyser les procédés du récit. On trouvera d'abord un premier type de prolepse dont l'utilité est évidente : annoncer des événements ultérieurs pour piquer la curiosité du lecteur et l'inciter à lire ce qui suit. Elles sont particulièrement nombreuses dans la première partie, précisément

4. Cf. F. Démoris, *Le roman à la première personne. Du classicisme aux Lumières*.

5. Nous nous conformons à la définition de G. Genette : « prolepse : toute manœuvre narrative consistant à raconter ou évoquer d'avance un événement ultérieur » (*op. cit.*, p. 82).

parce qu'il faut allumer l'intérêt : « Que de folies je vais bientôt vous dire ! » (p. 21) constitue à peine une prolepse. De même lorsque Mme de Miran dit à Marianne de demeurer en repos : « Aussi y demeurai-je, mais ce ne sera pas pour longtemps » (p. 290). L'annonce de l'événement futur est extrêmement fugitive, assez présente néanmoins pour stimuler l'attention. Au même type appartiennent les annonces des fins de partie : procédé classique qu'utiliseront, sans s'en lasser, tous les romans-feuilletons du XIXe et du XXe siècles : « J'approche ici d'un événement qui a été l'origine de toutes mes aventures, et je vais commencer par là la seconde partie de ma vie » (p. 52).

Le plus souvent la prolepse est interprétative, et c'est un procédé dont Marivaux use très fréquemment. Marianne, jeune et encore naïve, ne comprend pas exactement le sens de telle parole ou de tel événement ; ce n'est que plus tard qu'il lui sera révélé, mais une formule narrative permet de donner au lecteur un pressentiment, un soupçon. C'est un type de prolepse particulièrement intéressant, parce que s'y articule la rencontre entre Marianne-narratrice et Marianne-personnage. La première a une intelligence des événements que la seconde n'avait pas toujours. Les regards de M. de Climal paraissent un peu « suspects » à la jeune Marianne, mais ce n'est qu'une intuition : « je ne regardai pas l'idée qui m'en vint sur-le-champ comme une chose encore bien sûre ; mais je devais bientôt en avoir le cœur net » (p. 37)[6]. Inversement, à partir d'un certain moment, le lecteur pressent que M. de Climal va se racheter : « Ce pauvre homme (car l'instant approche où il méritera que j'adoucisse mes expressions sur ce chapitre) » (203). Au début, l'infidélité de Valville n'est pas immédiatement perçue par Marianne ; il faut qu'elle fasse appel à des réflexions qui, en fait, ne lui sont venues que beaucoup plus tard : « ce que je vous dis là, je ne le rappelai que longtemps après, en repassant sur tout ce qui avait précédé le malheur qui m'arriva dans la suite » (p. 348). Grâce à la prolepse, Marianne acquiert une partie de cette sur-conscience qui est celle de l'auteur. Mlle Varthon ment-elle lorsqu'elle prétend avoir vu Valville contre son gré ? « je n'ai pas deviné que c'était lui qui était là-bas (et là-dessus elle disait vrai, je l'ai su depuis) » (p. 387). Parfois l'effet de prolepse est même nécessaire pour sauver la vraisemblance et pour expliquer que

6. Cf. p. 418 : « Vous verrez dans la suite que je raisonnais fort juste ».

Marianne, à l'instar du romancier, sache ce qui s'est passé dans des scènes auxquelles elle n'a pas assisté : « Ma foi, reprit-il (car Mme de Miran me l'a conté elle-même) ma foi ! vous avez raison » (p. 419).

On aura été frappé par la brièveté de ces prolepses : elles donnent une certaine perspective au récit, une certaine profondeur à l'interprétation, elles permettent la rencontre des deux Marianne ; elles ne projettent pas véritablement le récit vers le futur, elles ne subvertissent pas l'ordre chronologique. Les seuls cas de prolepse développées sont de curieux effets de trompe-l'œil : elles annoncent des événements que le lecteur ne verra pas. Est-ce parce que *Marianne* est inachevé ? Est-ce parce que le romancier, ayant suffisamment prédit l'événement, n'éprouve plus le besoin de le représenter dans tout son détail ? Le fait n'en est pas moins curieux. J'en citerai deux exemples : d'abord la maladie de Mme Dorsin : « Je l'ai vue, dans une longue maladie où elle périssait de langueur, où les remèdes ne la soulageaient point, où souvent elle souffrait beaucoup » (p. 228). La scène est assez développée ; quand se situe-t-elle ? dans le futur certes mais un futur qui ne sera pas englobé dans le temps du récit et qui par conséquent se situe dans toute cette frange d'ombre qui sépare la fin des aventures de Marianne-personnage, des premières paroles de Marianne-narratrice. Mais une fois de plus, le problème de l'inachèvement de *La Vie de Marianne* se pose[7]. Il se pose bien davantage à propos de Valville : « ce Valville ne m'a pas laissée pour toujours ; ce n'est pas là son dernier mot. Son cœur n'est pas usé pour moi, il n'est seulement qu'un peu rassasié du plaisir de m'aimer, pour en avoir trop pris d'abord. Mais le goût lui en reviendra : c'est pour se reposer qu'il s'écarte ; il reprend haleine, il court après une nouveauté, et j'en redeviendrai une pour lui plus piquante que jamais : il me reverra, pour ainsi dire, sous une figure qu'il ne connaît pas encore ; ma douleur et les dispositions d'esprit où il me trouvera me changeront, me donneront d'autres grâces. Ce ne sera plus la même Marianne » (p. 377). De toutes les prolepses, c'est la seule qui soit à ce point développée ; c'est la seule qui ait une telle importance pour la suite des aventures de Marianne. Marianne-narratrice y prend un ton de magicienne ; c'est l'Alcandre de *L'Illusion comique* faisant apparaître sur l'écran, par la magie de la parole, un

7. Cf. H. Coulet, « L'inachèvement dans les récits de Marivaux », Rome, *Saggi...*, vol. XXII, 1983.

futur qui semblerait surprenant à Marianne-personnage désespérée pour lors. Mais du coup le dédoublement devient détriplement : ce n'est plus la rencontre de Marianne à cinquante ans et de Marianne à dix-huit. Une troisième Marianne intermédiaire et dont nous ne saurons exactement ni l'âge ni l'histoire apparaît soudain comme par magie. Du coup, le présent du récit se trouve métamorphosé, et un autre Valville se laisse deviner qui efface la noirceur de l'infidèle et explique l'indulgence de la narratrice.

Rien ne s'oppose dans la théorie et dans la pratique à ce que le romancier conjugue l'analepse et la prolepse, ce qui donne des formules de ce type : « Favier (...) avait déjà parlé ; et c'est ce que vous verrez dans la sixième partie, avec tous les événements que son indiscrétion causa ; les puissances même s'en mêlèrent » (p. 268). Situé à la fin d'une partie, ce genre de phrase permet au lecteur de donner un regard circulaire sur le passé et le futur, comme s'il était placé à un point de perspective où les deux versants du temps lui apparaîtraient simultanément.

Prolepse et analepse se situent dans la relation entre le temps du récit et le temps de l'histoire, chaque fois que la narratrice anticipe sur l'ordre des événements ou au contraire rétrograde. Avant de poursuivre notre investigation, il faudrait faire ici une place à un phénomène différent mais qui contribue aussi à déplacer la chronologie : le cas où un personnage résume l'action passée à l'usage d'un nouvel arrivant. Certes, il ne saurait être question d'analepse. Marianne rapporte bien les paroles de ce personnage au moment où il les prononce et l'ordre du récit n'en est pas perturbé. Il n'empêche que le lecteur est ramené en arrière à des événements qu'il connaît déjà. L'intérêt dramatique est donc nul. Tout l'intérêt est psychologique ; la façon dont le personnage relate l'événement permet immédiatement de comprendre son caractère ; ainsi lorsque Climal narre au religieux l'entrevue de Marianne et de Valville, on connaît toute la noirceur et l'hypocrisie de cet individu, tandis que le récit fait par Marianne des agissements de Climal achève de montrer son innocence — et jusqu'à ébranler le bon religieux[8].

Mais parmi ces récits rétrospectifs, il en est un qui mérite qu'on lui fasse une place à part, c'est celui des origines[9]. Presque chaque

8. P. 136, voir d'autres rappels d'événements p. 391,422.

9. On lira l'excellente analyse qu'en a donné J.-P. Faye, dans *Le Récit hunique*, Seuil, 1967, et Yannick Jugan dans *Les variations du récit dans la Vie de Marianne*, Klincksieck, 1978.

fois qu'un nouveau personnage se trouve introduit dans le roman, il faut qu'il apprenne l'histoire de Marianne. Pour ne citer que les cas les plus frappants : Marianne raconte son histoire à la supérieure du couvent (p. 151) en reprenant les points essentiels : « Je n'avais que deux ans, lui dis-je, quand ils ont été assassinés par des voleurs » ; elle poursuit jusqu'à l'épisode de la Dutour. Comme Mme de Miran assiste à l'entrevue, là voilà instruite du même coup, mais non Valville qui aura droit à une nouvelle version, un peu abrégée, il est vrai, mais où subsiste toujours la date du point de départ : « Je vous ai déjà dit que j'ai perdu mon père et ma mère : ils ont été assassinés dans un voyage dont j'étais avec eux, dès l'âge de deux ans » (p. 194). Il y aura des versions cocasses et des versions nobles, le romancier semble se livrer avec une particulière virtuosité à un « exercice de style » à la Queneau. Chez Mme de Fare, la Dutour va raconter l'histoire à sa manière, avec une grande abondance et une certaine vulgarité. Ensuite Valville donnera la version distinguée : « elle a perdu son père et sa mère depuis l'âge de deux ans ; on croit qu'ils étaient étrangers ; ils ont été assassinés dans un carrosse de voiture avec nombre de domestiques à eux » (p. 266). Marianne raconte encore l'histoire à Mlle Varthon, avec des détails seulement à partir de son arrivée à Paris. C'est un récit résumé pour ce qui est des origines ; le lecteur ne connaît que la tonalité générale, « dans un goût aussi noble que tragique » (p. 336).

On retrouve dans l'histoire de Tervire, à une moindre échelle, le même procédé, avec des effets particulièrement pathétiques puisque Tervire va être amenée à raconter l'histoire de son abandon à sa mère elle-même dont elle ignore l'identité : « C'est, lui répondis-je, que je n'avais tout au plus que deux ans quand elle se remaria, et que, trois semaines après, son mari l'emmena à Paris, où elle accoucha d'un fils » (p. 565). On voit que Marivaux préfère en général ne pas recourir à la formule qui consisterait à abréger le récit de ce que le lecteur connaît déjà ; il préfère le récit mimétique et reproduit un texte aussi proche que possible de celui qui a été prononcé par le personnage, sans souci des redites. Pour rester plus proche du vrai ? pour introduire quelques subtiles nuances dans la diction qui, du même coup, révèle la personnalité de celui qui raconte ? Pour obliger le lecteur à retourner incessamment au point de départ du récit ? Parce que ce commencement a une valeur véritablement obsessionnelle ? Parce qu'il a aussi une signification horaire, importante dans tout récit. On notera comment le *terminus a quo* est précisé chaque fois : les deux ans de l'héroïne, sans autre nécessité que d'insister sur l'heure de départ du récit que Marivaux situe avant que, lui semble-t-il, commence chez l'enfant une réelle prise de conscience.

Le Temps fonctionne, dans *La Vie de Marianne*, selon plusieurs rythmes différents suivant le niveau auquel on se situe. Si le temps que Marivaux a mis à écrire son texte semble rester, en quelque sorte, en dehors du texte lui-même, il a néanmoins une influence sur la répartition et la publication. Or, dans la mesure où chaque partie est censée constituer une lettre envoyée par Marianne à son amie, la narratrice introduit ce temps dans la fonction narrative en faisant mine d'avoir été plus ou moins empressée à rédiger. Ainsi apparaissent au moins quatre niveaux différents : le temps de l'écriture de Marivaux, le temps de l'écriture de Marianne, le temps de la lecture de son amie (que nous ne connaissons qu'allusivement), le temps des événements relatés. L'histoire de Tervire amène un degré supplémentaire : le temps où elle raconte à Marianne et qui est évidemment différent du temps où elle a vécu les événements de sa propre vie.

H. Coulet a fort bien étudié le rapport que Marivaux a tenté d'établir entre narration réelle et narration fictive[10]. Marivaux a tenu à faire intervenir le temps de la lecture en supposant la correspondante de Marianne tantôt impatiente, tantôt fatiguée. Quand deux ans neuf mois séparent la publication de la seconde partie de celle de la première, Marivaux suggère une sorte de réclamation de la destinataire : « Vous me pressez de continuer, je vous en rends grâces, et je continue » (p. 58). Quand, au contraire, la publication de la sixième partie intervient un mois et demi après celle de la cinquième, il fait écrire par Marianne : « je vous envoie (...) la sixième partie de ma Vie ; vous voilà fort étonnée, n'est-il pas vrai ? Est-ce que vous n'avez pas encore achevé de lire la cinquième ? » (p. 271). Au début de la septième partie, Marianne récapitule en soulignant, non sans quelque artifice[11] une accélération : « Souvenez-vous en, madame ; la deuxième partie de mon histoire fut si longtemps à venir, que vous fûtes persuadée qu'elle ne viendrait jamais. La troisième se fit beaucoup attendre ; vous doutiez

10. *Marivaux romancier*, Colin, 1974, p. 416-417.

11. Cf. H. Coulet, *Marivaux romancier*, p. 416, n.

que je vous l'envoyasse. La quatrième vint assez tard ; mais vous l'attendiez, en m'appelant une paresseuse. Quant à la cinquième, vous n'y comptiez pas sitôt lorsqu'elle arriva. La sixième est venue si vite qu'elle vous a surprise : peut-être ne l'avez-vous lue qu'à moitié, et voici la septième » (p. 321). Il y a ensuite un ralentissement, puis la mise en vente simultanée des neuvième, dixième et onzième parties permet de faire croire à une nouvelle accélération, fort heureuse, à vrai dire, puisqu'elle souligne l'unité de l'histoire de Tervire. Marivaux a donc voulu établir une équivalence entre le temps de la publication et le temps d'écriture de Marianne, quitte à supposer un subtil décalage entre le temps de l'écriture de Marianne et le temps de la lecture de son amie ; d'où cette invite de Marianne : « Allons, madame, tâchez donc de me suivre ; lisez du moins aussi vite que j'écris » (p. 271) (notons à ce propos qu'en fait, il y a plusieurs temps de lecture, puisque la destinataire a fait lire le récit de Marianne à des amis, p. 272). Inversement, Marianne donne toute licence à sa lectrice de sauter des passages, et par conséquent d'accélérer le temps de la lecture : les bavardages de Toinon, semblent-ils fastidieux ? « C'est pour vous divertir que je vous conte cela ; passez-le si cela vous ennuie » (p. 34).

Si le rythme de la narration est indiqué avec soin par Marivaux, sa durée totale demeure, néanmoins, assez indéterminée. Le texte même ne précise pas l'intervalle entre la première et la seconde partie, ni entre la seconde et la troisième (« longtemps ») ; deux mois entre la troisième et la quatrième ; un jour entre la neuvième et la dixième. Pour les autres intervalles, il faut se contenter d'indications assez vagues de rapidité ou de lenteur ; mais il est impossible au total de savoir de combien a vieilli Marianne entre le début de la narration où elle a cinquante ans et la fin : un an, deux ans après ? De même qu'il est impossible de savoir d'où elle écrit, sinon que c'est hors du monde, nous ne savons rien sur le temps de la narratrice, sinon qu'à un moment elle a sommeil et s'endort ; on supposera donc qu'à ce point de la narration, il se faisait tard. On songe au propos de G. Genette : « une des fonctions de la narration littéraire, la plus puissante peut-être, parce qu'elle passe pour ainsi dire inaperçue, est qu'il s'agit là d'un acte instantané, sans dimension temporelle (...) nous savons que Proust a passé plus de dix ans à écrire son roman, mais l'acte de narration de Marcel ne porte aucune marque de durée, ni de division : il est instantané. Le présent du narrateur (...) est un moment unique et sans progression »[12]. La remarque a une valeur générale incontestable ; elle est parfaitement pertinente pour Proust. Par rapport à *La Vie de Marianne*, il faudrait apporter quelques nuances. La situation est différente, du fait de la fiction du roman par lettres et du morcellement en « parties » correspondant à divers envois, séparés par un certain laps de temps. Ainsi se crée une illusion de la durée de la narration. Mais cela ne suffit pas à susciter véritablement le temps dans lequel vit la narratrice et qui demeure très lacunaire, allusif, par rapport à la densité, à la précision du temps dans lequel vit le personnage.

Ces renseignements, en définitive, portent essentiellement sur le rythme des envois, non pas exactement sur la durée de la rédaction ni, à plus forte raison, sur celle de la lecture. Par conséquent si nous voulons comparer le temps de la narration et le temps du récit, nous sommes contraints de recourir à un moyen extrêmement matériel qui consiste à compter le nombre de pages, et à établir ainsi non pas exactement un rapport entre la durée de l'histoire et la durée de la narration que nous ignorons, mais entre la durée de l'histoire et la place qu'elle tient dans le livre, à analyser ainsi des phénomènes (qui n'ont de valeur que par comparaison) d'accélération ou de ralentissement du récit. Si nous prenons l'excellente édition Garnier donnée par F. Deloffre, nous constatons que chaque partie représente une cinquantaine de pages, les deux plus longues étant la troisième (57) et la neuvième (61 pages) ; la plus courte la onzième (42 pages). Mais elles racontent des durées de la vie de Marianne ou de Tervire extrêmement variables. La première partie est nettement celle qui recouvre la plus grande durée temporelle de l'histoire, puisqu'elle mène Marianne de sa deuxième à sa quinzième année, au prix d'une éclipse totale des années d'enfance et d'adolescence : « Je passe tout le temps de mon éducation dans mon bas âge, pendant lequel j'appris à faire je ne sais combien de petites nippes de femme, industrie qui m'a bien servi dans la suite » (p. 15). Au profit de ces humbles travaux et de l'ellipse qu'ils autorisent, voici passée sous silence toute une époque de la vie dont nous sommes certainement plus curieux que ne l'étaient les hommes du XVIIIe siècle. Il est probable aussi qu'elle n'offrait pas aux yeux de Marivaux d'intérêt romanesque par rapport à l'ensemble de l'intrigue.

12. *Figures*, III, p. 234.

A la neuvième partie, on retrouvera la même ellipse — mais au second degré — puisqu'elle ne fonctionne plus au niveau du récit de Marianne, mais à celui de Tervire. Après la mort de Mme de Tresle et son installation chez M. Villot, elle résume : « Voilà comment je vécus jusqu'à l'âge de près de dix-sept ans » (p. 452). Dans les deux cas, il n'y a pas exactement suppression d'une période de la vie, mais compression extrême, après quelques explications à l'imparfait destinées à montrer le caractère purement répétitif et l'absence de réels événements dans ces deux enfances.

Néanmoins, avant ces deux ellipses, des événements initiaux ont eu lieu qui vont être développés avec beaucoup de précision parce qu'ils ont un intérêt dramatique et explicatif. Pour Tervire, les amours de ses parents, le remariage de sa mère, la mort de Mme de Tresle sont racontés assez longuement ; de même dans la vie de Marianne proprement dite, l'accident initial, l'installation à la cure. Il y a même dans l'accident de carrosse un luxe de détails dont l'utilité n'apparaît pas absolument dans l'état d'inachèvement du roman. A lire cette description minutieuse, le lecteur s'attend à ce qu'il y ait à la fin une scène de reconnaissance : Marivaux avait-il l'intention de l'écrire, ou simplement de susciter l'illusion chez le lecteur que cette scène viendrait ? La présence d'une suite de domestiques est utile pour expliquer le rang de Marianne, et Valville ne manquera pas de le souligner dans la version de l'accident qu'il fera chez Mme de Fare.

En dehors du livre premier et du livre IX, le déroulement temporel ne présente pas de fortes irrégularités, mais le traitement du temps y est réalisé avec une grande habileté dans le trompe-l'œil. Marivaux y accumule les notations qui donnent l'impression au lecteur qu'il sait toujours quelle heure il est à l'horloge de l'histoire, quand, en définitive, il lui est bien difficile de dire combien de temps s'est écoulé entre les quinze ans du livre premier et l'âge indéterminé qu'atteint Marianne à la fin du huitième livre. Fort peu de temps finalement : le séjour chez la Dutour, le passage au couvent, tout cela ne dure que peu. Il n'y a guère que la désaffection de Valville qui suppose une certaine durée, et encore. On notera un contraste entre les deux premiers livres où sont indiqués les âges de Marianne, et les autres où il est surtout question de « jours », tant les événements se succédent rapidement[13]. Dans ces indications

13. Cf. F. Deloffre, *La Vie de Marianne*, p. 159, n. 1 : « Voilà enfin terminée la journée qui a commencé pour Marianne à la fin du livre 1 ». Inversement, le lecteur sent un peu sa curiosité frustrée, quand le romancier passe si vite sur le repas chez Mme Dorsin (p. 425).

d'âge, néanmoins, Marivaux a toujours soin de marquer un certain flottement puisque, conséquence du mystère des origines, aucun personnage ne connaît la date de la naissance de Marianne : « J'avais quinze ans, plus ou moins, car on pouvait s'y tromper, quand un parent du curé... » (p. 15). Cette phrase est assez curieuse, car on voit la narratrice qui, elle, a pu apprendre depuis la date exacte de sa naissance, prendre le point de vue des personnages (« on pouvait s'y tromper »). Les notations suivantes gardent le même flou, avec une progression temporelle, néanmoins : « Enfin, me voilà seule, et sans autre guide qu'une expérience de quinze ans et demi, plus ou moins » (p. 23). « En vérité, madame, avec une tête de quinze ou seize ans, avais-je tort de succomber, de perdre tout courage, et d'être abattue jusqu'aux larmes » (p. 80).

Une fois posé, avec une marge d'incertitude, le point de départ, les notations temporelles vont porter sur de très courts intervalles. Pendant la vie au couvent, Mme de Miran « me venait voir tous les deux ou trois jours, et il y avait déjà trois semaines que je vivais là » (p. 160). Plus loin : « j'en dormis mal deux ou trois nuits de suite, car je passai trois jours sans entendre parler de rien » (p. 201). Ou encore : « il y avait cinq ou six jours que » (p. 208) ; « il y avait huit jours que je n'avais vu Valville » (p. 237). Le rythme même de cette vie conventuelle sans événements, où les seuls accidents se produisent à l'extérieur, et où par conséquent tout est attente, se trouve fort bien rendu par ces notations. Et ces indications sont toujours liées à l'énoncé d'un événement important. Ainsi avant l'enlèvement : « il y avait dix ou quinze jours que je n'avais vu personne » (p. 288).

Si l'on considère le volume de *La Vie de Marianne*, on conviendra d'une certaine lenteur. Or, elle ne provient pas du récit des événements proprements dits, qui est, au contraire, mené à un rythme très vigoureux, qu'il s'agisse de l'accident de carrosse, de l'enlèvement, ou encore de la mort de M. de Climal. La maladie de Marianne offre même un modèle de rapidité qui s'exprime par un souci de vraisemblance, et le respect du « point de vue », autant que par la pudeur du style. Marianne ne peut connaître de cette maladie que le résumé qui lui en a été fait par la suite : « Je restai à peu près dans le même état quatre jours entiers, pendant lesquels je ne sus ni où j'étais, ni qui me parlait ; on m'avait saignée, je n'en savais rien » (p. 358).

Pour les événements, on saute, conformément à une esthétique romanesque bien établie, d'une scène à l'autre. L'entre-deux événementiel est réduit à presque à rien, s'il n'a pas d'intérêt dramatique. J'en donnerai deux exemples. Le voyage à Paris avec la sœur du curé : « Nous partîmes donc (...) et nous voilà à Paris » (p. 16-17) ; ou encore le séjour avec Mme de Miran à la campagne : « dix ou douze jours » résumés en une page (p. 347-348). Le temps qui s'écoule d'une scène à une autre est habituellement rempli par des réflexions morales ou psychologiques ; une simple notation de temps (« il y avait déjà trois semaines ») suffit pour rétablir cette durée intermédiaire qui visiblement n'intéresse pas le romancier. Quand ce temps aura été l'occasion d'une maturation, cela se traduira au niveau de l'analyse psychologique, et par conséquent viendra gonfler ce tissu interstitiel de réflexions déjà si abondant dans le texte.

Il est un autre élément qui, dans beaucoup de romans, contribue au ralentissement du tempo, ce sont les descriptions. On est frappé, à la lecture de *La Vie de Marianne*, par leur rareté. Certes le succès de La *Nouvelle Héloïse* sera pour beaucoup dans l'envahissement de descriptions qui caractérise le roman de la fin du XVIIIe siècle et du début du XIXe. C'est peut-être un trait du roman de la première moitié du XVIIIe siècle, de préférer l'analyse de la vie intérieure à l'évocation des paysages. Rousseau sera surtout responsable de cette correspondance qui va s'établir entre paysage et sentiment. Le paysage deviendra un état d'âme et par conséquent il n'y aura plus lieu de séparer l'analyse psychologique de la description. Le lac Léman en furie traduira la violence de la passion revenue, comme les montagnes du Valais avaient exprimé la volonté de s'élever au dessus du monde et d'épurer le désir. On est tout à fait fondé à voir dans la pauvreté des descriptions un trait plus général de l'esthétique romanesque de l'époque de Marivaux. Cette pauvreté n'en demeure pas moins remarquable. Est-ce là un trait de l'homme de théâtre ? Au théâtre, le changement de décor est le travail du metteur en scène, non celui de l'écrivain. Il faut que, comme Musset ou Tchékov, l'homme de théâtre suppose des personnages particulièrement sensibles pour qu'ils évoquent par quelques mots la nature autour d'eux. Sinon, tout ce qui concerne le paysage sera un hors texte (au mieux dans les didascalies).

Quelles que soient les raisons à invoquer, cette absence de

décor[14] dans *La Vie de Marianne* est remarquable même par rapport à des textes antérieurs. La nature est beaucoup plus présente dans *La Princesse de Clèves* où pourtant elle ne joue qu'un rôle restreint (il y a par exemple l'évocation du pavillon où rêve la princesse), et dans le roman précieux, comme *L'Astrée* où elle n'est vue qu'à travers un langage quelque peu stéréotypé. Cette pauvreté des éléments descriptifs peut s'expliquer encore par le principe de vraisemblance et par le respect du point de vue. Tout passe par le récit de Marianne, puis par le double filtre du récit de Tervire d'abord, de Marianne ensuite. Peut-être le personnage qui raconte son histoire a-t-il moins tendance que le romancier lorsqu'il choisit d'écrire à la troisième personne, à camper un paysage. Pourtant il eût suffit d'attribuer à Marianne ou à Tervire une grande sensibilité au décor, pour que du même coup se trouve justifiée la présence de descriptions.

Les jeux de scène sont plus présents que les décors ; on notera des indications de costume, mais jamais suffisamment développées pour ralentir véritablement le tempo. Nous aurons l'occasion de revenir sur la question de la gestuelle. Nous ne l'envisageons ici que par rapport au tempo du récit. Les indications de jeux de scène sont assez fréquentes, mais toujours comme accompagnant la parole : Marianne se jette à genoux, baise la main de Mme de Miran ; Valville regarde le pied blessé avec intérêt. La gestuelle, dans le récit de Tervire, est beaucoup plus pathétique et ne manque pas d'évoquer, du moins pour nous, quelque tableau de Greuze, en particulier dans l'épisode de Dursan. Néanmoins Marivaux ne s'attarde pas à décrire les attitudes, il suffit d'avoir indiqué le mouvement qui n'a pas le temps de se figer. Encore ces mouvements ne sont-ils marqués que s'ils sont absolument nécessaires. En dehors de ces indications de gestes, et en la quasi-absence de décor, la scène romanesque se ramène essentiellement à un échange de paroles, c'est à dire au dialogue. La lenteur du flux romanesque dans *La Vie de Marianne* provient de la reproduction presque intégrale des dialogues, de la présence de portraits et des digressions et réflexions conjuguées du personnage et de la narratrice.

Pour un romancier qui doit écrire une conversation de ses personnages, il s'offre trois types de solution : une reproduction intégrale et « mimétique » (même si cette « mimésis » n'est qu'une illu-

14. Cf. *infra* p. 99 et sq.

sion, comme l'est tout l'univers romanesque), un résumé succint, enfin un système intermédiaire de style indirect plus ou moins libre. La première solution est évidemment la plus lente, la deuxième la plus rapide ; la troisième tient le milieu entre les deux autres. Encore faudrait-il établir une distinction à l'intérieur de chaque type de dialogue. Même lorsque Marianne reprend intégralement un dialogue, il lui arrive fréquemment de l'abréger à la fin. Souvent elle le précise à sa lectrice, comme pour calmer par avance son éventuelle impatience : « Je voudrais bien pouvoir vous dire tout ce qui se passait dans mon esprit, et comment je sortis de cette conversation que je venais d'essuyer, et dont je ne vous ai dit que la moindre partie, car il y eut bien d'autres discours très mortifiants pour moi » (p. 29). Le résumé est ici justifié par une sorte de pudeur ; mais le plus souvent il s'explique par la conscience qu'a la narratrice d'être trop longue. Le lecteur trouvera peut-être que cette conscience ne la limite guère. Certes, il serait absurde d'invoquer une quelconque vraisemblance, une fois accepté le jeu romanesque, et de dire que Marianne ne peut se souvenir de tant de paroles, à plus forte raison lorsque le récit est au second degré et qu'elle relate les conversations de Tervire. Marianne est déléguée par le romancier pour tenir un rôle qui est le sien, elle refait des dialogues. Et elle ne s'en prive guère. Les conversations de la jeune Marianne avec Mme de Miran sont particulièrement longues et donnent une impression d'isochronie, évidemment artificielle, puisqu'on ne peut comparer le temps de la lecture ou de l'écriture à celui de la parole des personnages.

F. Deloffre a bien montré comment Marivaux avait créé un certain type de style indirect libre, dont nous trouvons des exemples très frappants dans la relation des conversations avec Toinon[15] : « Après venait un amant qu'elle avait, qui était un beau garçon fait au tour ; et puis nous irions nous promener ensemble ; et moi, sans en avoir d'envie, je lui répondais que je le voulais bien » (p. 33-34). Où encore, lorsque Toinon parle de l'amant de Mme Dutour : « son amant l'aurait déjà épousée ; mais il n'était pas assez riche » (p. 34). Cette formule est un chef-d'œuvre de souplesse, elle permet le glissement du résumé à la parole[16]. Ce n'est

15. *Une préciosité nouvelle. Marivaux et marivaudage*, Paris, Colin, 1955, p. 223-225. (rééd. 1967).

16. Voir aussi *La Vie de Marianne*, p. 346, 407.

pas non plus un hasard si Marianne — ou Marivaux — y recourt ici : les propos de Toinon sont des bavardages qui deviendraient lassants. Pour que des propos populaires méritent d'être transcrits intégralement, il faut qu'ils aient le caractère pittoresque de la querelle entre le cocher et Mme Dutour. Mais dans *La Vie de Marianne*, ces dialogues directs de grande vivacité, tout engagés dans l'action, sont exceptionnels. Ce qui domine de beaucoup, c'est la relation directe et pseudo-mimétique de ce que j'appellerais la conversation lente et noble, et dont les dialogues avec Mme de Miran sont les meilleurs exemples : ils sont un peu extra-temporels, en ce sens que l'horloge ne semble plus exister pour des personnages que le dialogue autorise à livrer le fond de leur cœur. Aussi ce type de dialogue où la psychologie et la morale tiennent une grande place se prolonge aisément par des réflexions ou des digressions.

Et voilà le second type d'écriture qui contribue à ce bienheureux ralentissement romanesque, si reposant, en particulier pour un lecteur moderne. Là encore, il faudrait distinguer différents cas. Marianne-narratrice peut exposer les réflexions qui venaient à l'esprit de Marianne-personnage[17] ; elle peut exposer les réflexions qui naissent au fur et à mesure de sa narration et par conséquent nous font sortir de la diégèse. Elle peut enfin prolonger ces confidences par des remarques générales qui prennent un caractère intemporel ; la maxime, la formule qui souvent clôturent ces réflexions seraient la plus nette manifestation de cette sortie hors du Temps.

La narratrice fait mine d'être très consciente du ralentissement romanesque qu'amène son goût pour la digression. Parfois elle s'excuse, parfois elle ironise. Ainsi après son accident : « Mais n'admirez-vous pas, au reste, cette morale que mon pied amène ? » (p. 68). Ou plus loin : « Revenons. Vous êtes accoutumée à mes écarts » (p. 70). Elle a aussi conscience que c'est dans ce domaine que le décalage entre le temps du « vécu » et le temps de la narration est le plus flagrant : « tout ce qui me vint alors dans l'esprit là-dessus, quoique long à dire, n'est qu'un instant à être pensé » (p. 72).

Une dernière question à évoquer, celle de la « fréquence ». En fait, elle se pose en des termes relativement simples. En général

17. Voir une sorte de monologue intérieur, p. 135, P. 159, et, en style indirect libre p. 208. Cf. note de F. Deloffre, p. 295, n.

Marianne narratrice ne raconte qu'une fois ce qui s'est passé une fois, à moins qu'il s'agisse d'événements à caractère itératif comme par exemple les visites de Mme de Miran au couvent : un imparfait permettra au besoin d'évoquer d'un seul coup plusieurs visites quasi-identiques. S'il lui arrive de dire deux fois, ce qui ne s'est passé qu'une fois, c'est sous une forme extrêmement rapide et allusive, par un simple rappel des événements ou un résumé au début d'une nouvelle partie. La question devient plus complexe si l'on se situe non plus au niveau de la narration de Marianne, mais à celui des personnages ; nous avons vu comment le même événements peut-être raconté par plusieurs personnages différents : ainsi les tentatives de corruption de M. de Climal ; nous avons vu surtout comment le récit des origines devient une sorte de leitmotiv, inlassablement repris, sans craindre du ralentissement, de l'alourdissement du récit. Dans *La Vie de Marianne*, personne n'est véritablement pressé.

A quelque niveau que l'on se place pour étudier cette question du temps, on en revient toujours à cette constatation : le lecteur doit savoir se laisser entraîner sur ce grand fleuve au cours lent. « Il faut que je vous aime bien, écrit Marianne à son amie, pour m'être mise en train de vous faire une histoire qui sera très longue : je vais barbouiller bien du papier ; mais je ne veux pas songer à cela, il ne faut pas seulement que ma paresse le sache : avançons toujours » (p. 16). Mais la longueur de l'histoire ne provient pas de l'abondance des événements à conter, elle découle essentiellement du plaisir que prend Marianne à le faire. Encore faut-il que ce plaisir soit partagé par le lecteur, et c'est pourquoi Marianne n'hésite pas à évoquer l'amitié : « il faut que je vous aime bien... » Dans *La Vie de Marianne*, le lecteur, tandis que le temps de sa propre vie s'estompe et qu'il l'oublie, se trouve bercé par un temps double, le temps du personnage et le temps de la narratrice qui, l'un et l'autre, se déroulent selon une bienheureuse lenteur. Est-ce parce que, à l'horloge de l'Histoire, le temps ne s'est pas encore accéléré ? C'est peut-être aussi parce que Marivaux, par un mimétisme assez étrange, est arrivé à restituer une durée vécue par deux femmes (combien différente du rythme allègre du *Paysan parvenu)*, où l'événementiel est accessoire par rapport à une certaine maturation intérieure.

III
STRUCTURES

On a tant parlé de « structures » dans la critique littéraire de ces dernières années qu'on a quelque scrupule à recourir encore à cette notion qui s'est finalement surchargée de sens divers. Sans vouloir nous engager dans des discussions théoriques, et pour en rester à des évidences, il semble qu'il faille retenir deux composantes fondamentales, sans lesquelles la notion de structure s'évanouirait : on doit pouvoir isoler des séquences ayant une certaine unité complexe ; on doit d'autre part pouvoir comparer ces séquences, découvrir entre elles des analogies. Dans une œuvre littéraire ayant un caractère de continuité, comme le roman, la division en séquence est parfois assez délicate, et peut-être davantage dans les romans modernes. Pour *La Vie de Marianne*, on distinguera nettement trois niveaux : la division en « parties » d'abord — onze au total — division qui est due aux circonstances de la publication, mais qui n'en impose pas moins au romancier un certain espace, comme la taille de la toile pour le peintre. A cette division matériellement évidente, s'ajoute cette macro-structure qu'est la division du roman en deux temps distincts : histoire de Marianne (huit parties), histoire de Tervire (trois parties). Mais à l'intérieur de chaque partie, on isole des séquences, ce sont les « scènes » romanesques qui sont assez faciles à cerner : Marivaux construit une scène en homme de théâtre et les contours en sont bien délimités, malgré les digressions morales ou psychologiques qui seront réparties plutôt autour de la scène, après elle. Le lieu est sommairement campé ; les entrées et les sorties des personnages sont précisées, les dialogues dominent. On n'a donc pas de peine à distinguer dans *La Vie de Marianne*, un certain nombre de ces scènes romanesques. Peut-être le théâtre n'est-il pas le seul modèle qui oriente Marivaux vers cette délimitation assez stricte des scènes ; toute une tradition romanesque opère en ce sens, renforcée par la technique de l'illustration : l'art de la gravure a besoin de s'appuyer sur cette organisation romanesque ferme et traditionnelle. Or l'imagination de l'écrivain peut être informée à l'avance par la présence future de l'illustration, tout autant que l'imagination de l'illustrateur est guidée par celle du romancier.

La délimitation des scènes permet d'établir des analogies, des correspondances. Dans un art du temps, comme le roman ou la musique, la présence de structures suppose la perception d'une répétition qui crée un rythme (une des difficultés qu'a rencontrées la musique sérielle se ramène à cela : si le public ne perçoit pas nettement les limites de la « série » ni, par conséquent, son retour, il ne repère plus de structure, et se trouve totalement désorienté). Dans le roman de Marivaux cette perception est facile pour un lecteur attentif. Tout l'art du romancier consiste à établir des symétries, des retours, sans jamais donner l'impression de la redite. Nous allons donc être amenée à étudier ces analogies structurelles aux trois niveaux que nous avons distingués : histoire de Marianne/histoire de Tervire ; différentes parties ; à l'intérieur des parties, diverses « scènes ».

On ne manquera pas de faire une objection préalable : l'apparent inachèvement de l'œuvre. Nous étudions un monument qui n'est pas terminé ; notre analyse ne peut évidemment porter que sur le texte existant, avec les limites qui s'imposent. On nous dira aussi : Marivaux avait-il un plan d'ensemble ? Savait-il vraiment où il voulait en venir ? La composition s'est échelonnée sur tant d'années ; le projet semble avoir varié en cours de route. Je crois qu'il faut dissocier structures et intention[1]. Ce qui nous importe ce n'est pas tant ce que le romancier voulait écrire que ce qu'il a écrit. L'inachèvement lui est peut-être apparu comme une nécessité esthétique, mais assez tard ; en commençant l'histoire de Marianne, il avait l'intention de la finir. Il est visible aussi que certains jalons ont été lancés, certaines pistes qui auraient permis des

1. Voir la passionnante étude de J. Fabre, « Intention et structures dans les romans de Marivaux », in *Idées sur le roman de Mme de La Fayette au Marquis de Sade*, Klincksieck, 1979 ; et P. Brady, *Structuralism perspectives in criticism of fictions,* Berne P. Lang, 1978.

développements nouveaux, des rebondissements, des réapparitions de personnges, et ces pistes n'ont pas toujours été utilisées.

Une dernière question préalable doit être évoquée : le lien qui existe entre les structures d'une œuvre et son époque. On sera amené après d'autres critiques, à parler de baroque et à faire appel à des termes empruntés à l'architecture et aux « beaux-arts ». La légitimité de ces emprunts me semble assurée à la fois par l'appartenance de diverses formes d'art à une même société, et par la possibilité d'une étude comparée des divers moyens d'expression artistique. Sur ce dernier point, il faut bien avouer qu'il reste beaucoup à faire et que la sémiologie générale est plus délicate encore que la littérature générale : à bien des égards, elle est à naître. Une autre difficulté provient de la notion même de baroque, extrêmement riche, mais souvent difficile à cerner, malgré les nombreux travaux qui ont été faits, en particulier par Jean Rousset. Il faudra donc une certaine prudence, quand on appliquera des notions empruntées à l'art baroque pour analyser *La Vie de Marianne* : elles sont cependant si éclairantes que nous n'avons pas voulu y renoncer, quitte à courir des risques.

Ce qui frappe le plus le lecteur de *La Vie de Marianne*, c'est certainement le fait qu'après la neuvième partie, l'histoire de Marianne fait place à celle de Tervire : l'héroïne n'est plus la même ; le ton a changé — et la plupart des critiques l'ont bien senti[2]. Moins de réflexions, moins de digressions, un rythme plus soutenu, plus rapide. Malgré ces différences, l'histoire de Tervire entretient avec celle de Marianne de profondes analogies, et tout un jeu subtil de miroirs a été aménagé par l'écrivain entre l'intrigue principale et le tiroir qui vient se greffer[3]. S'il arrive que tel ou tel personnage raconte brièvement son histoire, seule celle de Tervire constitue à proprement parler un véritable « tiroir ». Cette structure romanesque est vieille comme le récit lui-même. Et l'on en trouve maint exemples dans *Les Mille et une nuits*, tout autant que dans les romans de la Table ronde ou dans les romans précieux du XVIIe siècle. Ce type de récits devait connaître une floraison particulière avec l'esthétique baroque à laquelle elle convient si parfaitement. *Gil*

2. Cf. F. Deloffre, préface de l'édition Garnier.

3. Voir le très suggestif essai de H. Coulet et M. Gilot *Marivaux, un humanisme expérimental*, Larousse, 1973, en particulier p. 179 et sq.

Blas en offre des exemples particulièrement séduisants[4]. On peut distinguer divers types de tiroirs suivant leur longueur, leur fonction, leur mode d'insertion dans le récit[5]. L'histoire de Tervire a nettement une fonction démonstrative, et qui est à plusieurs reprises soulignée par elle-même : mais cette fonction démonstrative est double, suivant qu'elle est envisagée selon un passé ou selon un futur. Il s'agit en effet de montrer à Marianne qu'elle n'a pas été la plus malheureuse des jeunes filles, comme elle le croit ; mais il s'agit aussi de la dissuader d'être religieuse. On voit d'ailleurs que le but du récit est parfaitement réalisé, puisque Marianne, au début de la onzième partie convient qu'elle est presque convaincue : « depuis que je vous écoute, je ne suis plus, ce me semble, si étonnée des événements de ma vie, je n'ai plus une opinion si triste de mon sort » (p. 539-540). Elle attendra la fin du récit de Tervire pour trancher qui des deux fut la plus malheureuse — et cette fin, nous ne l'avons pas. En tout cas, sur l'autre point, le récit de Tervire a atteint son objet, et Marianne, comtesse de..., ne s'est point faite religieuse.

Ce thème — ne point se faire religieuse — va permettre une construction en abyme du plus pur effet baroque et qui ne peut manquer d'enchanter l'amateur de récits : en effet Tervire, elle aussi, avait connu une religieuse qui lui avait raconté son histoire et l'avait suppliée de ne pas entrer au couvent : elle l'avait momentanément convaincue, puisque Tervire songe alors au mariage, mais non définitivement, comme Marianne, puisqu'elle est religieuse lorsque l'héroïne la connaît et l'écoute. La construction en abyme est soulignée par les propos mêmes de la religieuse qui s'adresse à Tervire : « C'est à votre âge que je suis entrée ici ; on m'y mena d'abord comme on vous y mène ; je m'y attachai comme vous à une religieuse dont je fis mon amie » (p. 458). Une chaîne sans fin se révèle et il ne tiendrait qu'à Marivaux de raconter l'histoire de la religieuse, amie de la religieuse, etc... Le romancier a simplement suscité cette minute de vertige chez son lecteur, sans l'exploiter. Il a, en revanche, développé toutes les ressources qu'il pouvait tirer de l'effet de miroir entre la vie de Marianne et celle de Tervire.

Les analogies, dans la dissymétrie, sont soulignées à plaisir : celle-ci en particulier qui sert d'axe fondamental à la démonstration : avoir une mère/ne pas en avoir. Vaut-il mieux ignorer qui

4. Cf. R. Laufer, *Lesage ou le métier de romancier,* Gallimard, 1971.

5. Cf. G. Genette, *Figures,* III, p. 241 et sq.

est sa mère, comme Marianne, ou au contraire, comme Tervire, la connaître, mais être ignorée d'elle, par une longue indifférence ? Tout l'art de la démonstration consiste à révéler l'analogie des deux situations apparemment différentes, mais qui sont finalement identiques. Tervire, comme Marianne va connaître une série de mères de substitution. Mme de Miran et son amie, Mme Dorsin, dans l'histoire de Marianne, occupent une place très semblable à celle de Mme Dursan et de son amie Dorfrainville ; de même la sœur du curé de campagne avait joué auprès de la petite Marianne le rôle de Mme Villot auprès de la petite Tervire. Les deux jeunes filles vont être la proie d'un faux dévôt déjà mûr : l'un et l'autre ont un neveu dont cette intrigue ne fait pas l'affaire (avec des variantes, Sercour veut épouser, tandis que Climal voulait séduire ; Valville, au contraire, veut épouser Marianne, le jeune abbé, la séduire ou faire croire qu'il l'a séduite : il y a donc chiasme). Des analogies, d'autre part, s'établissent entre l'amour de Marianne et de Valville, et celui de Tervire et du jeune Dursan. Dans les deux cas l'amour est encouragé par la mère ou la grand'mère du jeune homme ; dans les deux cas, l'héroïne est très éprise, mais le jeune homme semble avoir été infidèle, sans que nous sachions tout le détail de l'histoire. Tervire, comme Marianne, annonce avec mélancolie que le parfait amour se trouvera troublé par la suite[6]. Marivaux semble s'amuser à suggérer des symétries qu'il ne développe pas. Par exemple, Tervire est malade et le jeune abbé vient la voir tous les jours, tandis que, lors de la maladie de Marianne, les visites de Valville sont trop rares. Parfois, une analogie est esquissée, comme par plaisanterie, ainsi quand on dit à Tervire que quelqu'un l'attend dans le bois près du château, elle fait mine de s'inquiéter : va-t-on l'enlever ? Et le lecteur se rappelle que Marianne a été, elle, bel et bien enlevée, parce qu'elle menaçait les intérêts de la famille de Valville, comme Tervire pourrait être soupçonnée de capter l'héritage des Dursan.

Mais l'analogie va beaucoup plus loin que telle ou telle scène romanesque. Dans les deux cas, le regard porté sur l'ensemble de sa vie par la narratrice est le même : celui d'une femme mûre qui contemple à la fois avec tendresse et une certaine distance, l'héroïne qu'elle fut et qui maintenant serait d'âge à être sa fille. Même si

6. Cf. p. 381 : « moi qui vous parle, je connais votre situation, je l'ai éprouvée ».

Tervire raisonne moins que Marianne, elle confesse qu'elle éprouve encore de l'attendrissement à parler de Mme de Tresle (p. 451), comme Marianne confessait sa douleur en songeant que Mme de Miran n'était plus. Dans les deux cas, le discours de la narratrice est interrompu, incomplet, et une large distance d'ombre sépare l'héroïne de la narratrice, distance pendant laquelle Tervire est devenue religieuse et Marianne marquise. Comment ? le lecteur l'ignore, et, dans l'état d'inachèvement du roman, il est amené à trouver dans le récit de Tervire une sorte de réponse à celui de Marianne. Tervire, en présentant un miroir à Marianne, lui renvoie sa propre image. Je ne fais pas allusion ici à des possibilités d'intersection entre les deux récits, comme il s'en produit souvent dans le roman à tiroir. A vrai dire, cela se ramènerait dans *La Vie de Marianne* à ce que l'on pourrait appeler un clin d'œil onomastique : une simple analogie de nom fait travailler l'esprit du lecteur. Dorsin et Dursan sont des noms bien proches, encore sont-ils nettement différenciés. Plus troublant est le retour du nom de « Villot » qui désigne à la fois le prétendant de Marianne imposé par le ministre, et la famille de fermiers chez qui la jeune Tervire est recueillie. Simple inadvertance ? C'est aussi la conséquence d'une certaine logique dans l'onomastique romanesque : Villot désigne le vilain, le paysan, sympathique ou non, là n'est pas la question : il suffit de marquer son origine sociale. Néanmoins ce retour du nom peut fonctionner comme un signal pour l'imagination du lecteur qui y verra une de ces pistes que Marivaux n'a pas voulu finalement exploiter. Le prétendant de Marianne aurait très bien pu être le fils du Villot qui prend soin de Tervire ; mais peut-être n'y aurait-il pas là un rebondissement romanesque digne d'intérêt, et mieux valait se contenter d'allumer la curiosité du lecteur et lui laisser faire des hypothèses.

Le véritable lieu de rencontre de l'histoire de Marianne et de celle de Tervire ne se situe pas là. Il faut revenir à la symétrie (ou plutôt, à la dissymétrie trompeuse, puisqu'elle se révèle une symétrie) qui instaure le récit : Marianne a perdu sa mère à deux ans. Tervire aussi, au même âge mais d'une autre façon. Selon les habitudes des romans à « reconnaissance », le lecteur suppose que Marianne va la retrouver, ou du moins retrouver son identité. Or Marivaux esquive cette scène peut-être trop attendue — et je verrais dans ce refus d'écrire cette scène une des causes fondamentales de l'inachèvement de l'œuvre. La scène de reconnaissance que nous attendons, nous la trouverons, non dans le récit de Marianne, mais dans celui de Tervire, et sous une forme de redoublement, avec un aspect répétitif qui, par conséquent, met l'accent sur son importance. Il va d'abord y avoir Dursan qui retrouve sa mère d'une façon particulièrement pathétique, *in articulo mortis*. Encore, à l'intérieur même de cette scène, l'effet de « retard » — au sens où la résolution d'un accord est différé — sera-t-il très sensible. Mme Dursan se refuse avec obstination à entendre la confidence qui lui rendrait son fils ; elle hésite longtemps avant de se décider à descendre dans la chambre où il expire.

Tervire va, à son tour, retrouver sa mère. Nous pressentons que la découverte sera plutôt psychologique que physique : l'existence de sa mère n'était un secret pour personne. Mais il semble que Tervire en la retrouvant dans un grand état d'abaissement, a chance d'apprendre qu'elle était moins coupable qu'on aurait pu le croire. Enfin, là aussi, il y a un effet de suspens et de retard. Tervire croit avoir perdu sa piste. Mais c'est bien le moment de rappeler la parole : « Tu ne me chercherais pas si tu ne m'avais trouvé ». Car lorsqu'elle cherche sa mère à travers Paris, il lui a déjà été donné de faire, sans le savoir, le voyage vers Paris en sa compagnie. Or là éclatent de façon frappante les analogies structurales entre l'histoire de Marianne et celle de Tervire : c'est dans un carrosse que Marianne a perdu sa mère ; c'est dans un carrosse que Tervire retrouve la sienne. Les analogies sont plus poussées : c'est « dans la portière » qu'a péri la mère de Marianne, c'est « dans la portière » que se trouve la mère de Tervire : « je faisais, raconte Marianne, des cris épouvantables, à demi étouffée sous le corps d'une femme qui avait été blessée, et qui, malgré cela, voulant se sauver, était retombée dans la portière où elle mourut sur moi, et m'écrasait » (p. 10). Et Tervire de noter que la femme qui monte au cours du voyage se met précisément « dans la portière » (p. 541). Ce détail n'était pas indispensable ; dans l'un et l'autre cas, il est justifié par la vraisemblance et le réalisme. Les psychanalystes pourront aussi déceler dans ce creux à l'intérieur de la cavité même que constitue le carrosse, un symbole utérin. Au simple niveau de la structure du récit, j'y verrais un de ces « signes de reconnaissance » pour le lecteur — tout aussi précieux que celui qui, classiquement, permet au héros de retrouver ses parents.

Ainsi prend tout son sens ce parallélisme qui, dans les deux histoires, amenait l'une et l'autre héroïne à toujours aller d'une mère de substitution à une autre mère. A propos de la sœur du curé, Marianne confesse : « je l'aimais comme ma mère » (p. 15). Mme de Miran est obstinément appelée « ma mère ». A quoi répond exactement : « elle m'aimait autant que la plus tendre des mères aime sa fille » (p. 499), propos de Tervire parlant de Mme Dursan. Nous aurons à revenir sur la signification de ce thème obsédant dans le roman. Remarquons simplement ici qu'il informe la structure même de l'œuvre et donne tout son sens au rapport qui unit l'histoire principale et le tiroir. Je me demande même si l'on peut véritablement parler de l'inachèvement de *La Vie de Marianne*. Certes, le lecteur attend autre chose, il attend que Tervire termine son histoire et raconte comment elle a été trompée par Dursan et est entrée au couvent ; il attend que Marianne reprenne ses aventures et nous dise comment elle a retrouvé Valville et a découvert sa propre identité. Mais si cette attente était un leurre ? un trompe-l'œil comme l'est l'attente indéfinie de l'histoire des amours de Jacques le Fataliste ? Un lecteur plus attentif comprendra peut-être que la onzième partie apporte, au niveau des symboles et des structures, l'exacte réponse à la question posée au début de la première : Tervire en retrouvant sa mère dispense, en quelque sorte, Marianne de retrouver la sienne. Le cercle se referme. Du carrosse au carrosse. Mais aussi de l'inconscience à l'ignorance. Car Marianne a perdu sa mère quand elle était trop petite pour comprendre l'étendue de sa perte — c'est du moins ce que suppose le romancier : vivre un événement à l'âge de deux ans, « ce n'est pas y être » (p. 12). Tervire rencontre sa mère, sur le chemin, dans le même état d'ignorance qu'Œdipe croisant le char de Laïos au carrefour de Thèbes : or ce n'est pas un meurtre qui s'ensuit ; une profonde sympathie éclate au contraire spontanément. Il ne reste plus au romancier qu'à expliquer comment cette femme est la mère de Tervire mais le roman est terminé, puisque les retrouvailles ont eu lieu — et dans l'ignorance : c'est dans l'inconscient qu'on retrouve sa mère, et non au prix d'aventures rocambolesques dans la vie « réelle ». Le roman est donc arrivé à sa conclusion, d'une façon inhabituelle pour le lecteur du XVIIIe siècle, et même encore un peu déroutante pour un lecteur moderne qui reste sur l'idée traditionnelle de l'inachèvement du roman. Seule une analyse minutieuse des structures révèle cette correspondance et cette composition — peut-être involontairement ? — cyclique.

Chaque partie constitue une relative unité ; elle doit pouvoir donner au public la satisfaction d'une lecture qui se suffit à elle-même, mais qui pourtant appelle une suite, rappelle un commencement. D'autre part, Marivaux utilise au mieux le système de la scène romanesque qui permet à la fois de retracer un événement important, et de cristalliser un ensemble de sentiments, de concrétiser la situation relationnelle des personnages. Le lien entre les parties va être assuré par le jeu des prolepses et des analepses dont nous avons parlé précédemment. Ce qui nous intéresse maintenant, c'est l'organisation d'une partie. Le commencement nécessite la plupart du temps une sorte de résumé de ce qui précède ; il est de longueur variable ; il s'amplifie par exemple au début de la cinquième partie. Ce résumé peut prendre la forme plus subtile d'une analyse qui, du même coup, permet de faire le point : ainsi au début de la sixième partie, l'analyse du rôle de Favier, ou encore au début de la septième, l'analyse des agissements de Mme de Miran. Si donc les commencements ont souvent un caractère récapitulatif, analytique, méditatif, les fins de partie, au contraire, sont dans l'action : une scène doit se produire qui met le personnage dans une situation heureuse ou malheureuse, mais assez nouvelle, assez palpitante pour que le lecteur ait envie de lire la suite : c'est la technique classique de tous les feuilletons. La visite de Valville déguisé, à la fin de la troisième partie, laisse attendre un rebondissement de l'aventure ; la cinquième partie se termine sur la reconnaissance de la Dutour chez Mme de Fare qui remet en question toute l'ascension sociale de Marianne et même son amour pour Valville ; la sixième partie se termine par l'arrivée incompréhensible de Mme de Miran. On notera une subtile symétrie entre ces deux fins de partie : il s'agit dans les deux cas de la reconnaissance d'une mère de substitution : mais, dans le premier cas, la reconnaissance par la mère vulgaire (que certains personnages peuvent prendre pour une maquerelle) est une catastrophe pour l'héroïne, tandis que la reconnaissance par la mère noble apparaît comme un salut inespéré : « Quoi ! ma fille, tu es ici ? s'écria Mme de Miran. Ah ! ma mère, c'est elle-même ! s'écria de son côté Valville » (p. 318). On voit comment la présence obsédante d'un thème (celui de la reconnaissance maternelle) fournit, à tous les niveaux du récit, un facteur d'organisation structurale.

A l'intérieur de la partie, la scène est un élément fondamental. Or nous avons déjà eu l'occasion de remarquer que Marivaux ne recherche absolument pas l'originalité de la situation. Il se sert des procédés romanesques les plus traditionnels : l'accident de carrosse, la rencontre à l'église, l'invitation à la campagne, l'enlèvement : tout cela fait partie de l'arsenal romanesque et Marivaux n'éprouve pas le besoin d'inventer des situations d'une originalité bouleversante : là n'est pas son propos. Il préfère créer des effets subtils de symétrie entre ces scènes. Or ces symétries sont le plus souvent le fait du retour d'un thème obsédant : la reconnaissance. Reconnaissane d'une identité civile et morale. Nous venons de citer deux reconnaissances maternelles (celle de la Dutour et celle de Mme de Miran) ; mais il y en a bien d'autres. On songe évidemment à la reconnaissance de Mme Dursan et de son fils, de Tervire et de sa mère, et aussi de M. de Tervire, le grand-père, et de la petite Tervire malade. Il y a encore le cas où une vertu morale est reconnue au personnage : ainsi Climal en mourant proclame la vertu de Marianne, comme la femme de chambre, en mourant également, confesse la machination dont Tervire a été la victime. Il y a enfin cette forme bénigne de reconnaissance qui consiste à retrouver un personnage dont on connaît fort bien l'identité mais qu'on ne s'attedait pas à trouver là où il est : ainsi Valville quand il découvre Climal aux pieds de Marianne ; et, exactement symétrique — la scène où Climal découvre Valville à genoux devant elle. Il semble que la reconnaissance fournisse à Marivaux une séquence narrative-type, dont il utilise systématiquement toutes les ressources avec un art de la combinatoire assez étonnant puisque nous trouvons des exemples de presque toutes les relations possibles. Nous venons de distinguer trois reconnaissances différentes : un personnage reconnaît à un autre une identité qu'il ignorait ; une vertu que d'autres ignoraient ; un personnage en retrouve un autre là où il ignorait qu'il fût. On voit aussi toutes sortes de déclinaisons de la situation romanesque : une femme reconnaît une autre femme (et cela semble la situation privilégiée où se révèle le lien mère-fille), mais aussi un homme reconnaît un autre homme (il s'agit alors d'une relation d'hostilité avunculaire : Valville et Climal, ou le jeune abbé amoureux de Tervire et son oncle). Une femme peut reconnaître un homme (Mme Dursan, son fils), ou un homme reconnaître une femme (le grand-père de Tervire et sa petite fille) : cette reconnaissance est moins aisée, moins immédiate ; la mère de Dursan hésite longtemps ; le grand-père a d'abord refusé cette reconnaissance : il meurt même avant d'avoir pu prendre les mesures qui auraient été la conséquence de cette reconnaissance et qui eussent sauvé Tervire de la pauvreté, en la faisant son héritière. Mais il y a une constante, due au fait que la reconnaissance de maternité est fondamentale et sert en quelque sorte de modèle à toutes les autres reconnaissances : une différence de génération semble une loi aussi bien entre Valville et son oncle, qu'entre la Dutour ou Mme de Miran et Marianne, Mme Dursan et son fils, etc... On ne voit jamais la reconnaissance de deux amis, du frère et de la sœur, enfin de deux personnages de la même génération : c'est qu'elle nous ferait sortir de cet univers où la relation parentale est véritablement fondamentale.

Une fois qu'on a constaté que la reconnaissance était la séquence-type de *La Vie de Marianne*[7], il reste à voir selon quelles lois structurales elle fonctionne. La reconnaissance suppose qu'avant même que commence la scène, tout un passé se soit déroulé, pathétique, connu (ou à connaître) du lecteur, en partie ignoré des personnages. Ce passé constitue une nécessité du récit, sans laquelle la séquence de la reconnaissance ne pourrait évidemment fonctionner. Toutes sortes de situations peuvent prêter à une scène de reconnaissance : un voyage lointain, un enlèvement par les barbaresques, etc... Ressources romanesques que Marivaux méprise ici. Parce qu'elles sont faciles et rebattues ? Parce que surtout le destin y demeure extérieur aux personnages. La mésaillance est autrement intéressante, puisqu'elle suppose que la loi édictée par les parents a été volontairement enfreinte par les enfants. Ainsi la reconnaissance est un retour : le retour de l'enfant prodigue, la réintégration dans le sein maternel.

En lisant *La Vie de Marianne*, on ne peut manquer d'être frappé par l'importance de ce thème de la mésalliance. A vrai dire, toute l'intrigue repose sur lui. Marianne, si elle épouse Valville, le fera-t-elle déchoir de son rang ? La réponse apportée diffère suivant les personnages : et nous voilà ramenés à la question des origines. Mme de Miran et Valville quand il est amoureux, supposent que Marianne est « bien née ». La famille de Valville, Valville peut-être lorsque son amour faiblit, reprochent à Marianne de n'avoir pas de parents. Si bien qu'il y a, ou qu'il n'y a pas mésalliance, suivant que Valville est plus ou moins amoureux et que cette crainte devient une sorte de test de l'affaiblissement de l'amour. Néanmoins cette mésaillance a un statut particulier, dans la mesure justement

7. On lira aussi un éloge du sentiment de reconnaissance (p. 78).

où elle est hypothétique et où le récit des amours de Marianne et de Valville demeure inachevé ; elle n'a pas été frappée d'interdit par la mère ; au contraire, Mme de Miran encourage cet amour. L'interdit vient de tout ce qui dans la famille représente l'ordre, c'est-à-dire, en dehors du père qui est mort, la parenté qui lui est substituée et intrigue auprès du ministre. Il n'est pas assez fort d'abord pour arriver à nécessiter une totale scène de reconnaissance ; celle-ci, nous ne la voyons que lorsque l'interdit semble momentanément l'emporter, c'est-à-dire, après l'enlèvement, lorsque Mme de Miran et Valville retrouvent Marianne chez le ministre : c'est là une forme certaine, mais un peu édulcorée et qui ne fait pas découvrir un lien de parenté jusque-là inconnu. En revanche, il rend public, manifeste aux yeux de tout le groupe social, cette parenté de cœur établie entre Mme de Miran et Marianne et traduite par les termes mêmes de la parenté (« mère », « fille »), parenté qui pourrait devenir juridique si le mariage est célébré et que Marianne devienne la belle-fille de Mme de Miran.

Le thème de la mésalliance fonctionne de façon plus simple et plus classique dans l'histoire de Tervire qui sur ce point comme sur d'autres fournit une sorte de reflet accéléré et par conséquent simplifié de l'histoire de Marianne proprement dite. La mésalliance est si importante qu'elle explique la nécessité de faire remonter le récit avant la naissance de Tervire. Le père de Tervire, en épousant Mlle de Tresle, enfreint l'ordre paternel, non pas exactement que Mlle de Tresle soit mal née, mais elle est pauvre, et dans cette société du XVIIIe siècle où l'argent devient la puissance dominante, être pauvre est une tare. Une tare dont va hériter Tervire et qui laisse pressentir que le mariage avec Dursan ne se fera pas sans difficulté et que la mère de Dursan risque de s'y opposer. Ce qui est d'autant plus paradoxal que, précisément, Dursan est le fruit d'une mésalliance, de la mésalliance la plus caractérisée qui soit, puisque sa mère n'est ni noble ni riche : or la scène de reconnaissance sera la plus difficile à obtenir, la plus pathétique de tout le roman.

Pour que l'on passe de cet état de blocage et de refus qu'entraîne la mésalliance, à cette ouverture, à cette réconciliation que provoque la reconnaissance, il faut une arrivée inopinée, une maladie comme celle de Dursan, et même, puisque dans ce cas la reconnaissance est particulièrement difficile à obtenir une maladie mortelle. Malade aussi la petite Tervire, lorsque son grand-père la découvre ; mais là ce n'est pas elle qui va mourir, c'est le vieillard.

Cette structure est si obsédante qu'elle informe même la scène d'amour qui est aussi une forme de la scène de reconnaissance : des personnages reconnaissent qu'ils s'aiment, et grâce à un accident, à une maladie. C'est la maladie du père de Dursan qui amène le fils à aller à la chasse ; il rencontre Tervire. Mais il y a plus caractéristique : Valville ne semble pouvoir aimer qu'une femme blessée ou malade. Grâce à la blessure au pied de Marianne, il devient amoureux. Mais l'évanouissement de Mlle Varthon sera le point de départ de cette nouvelle passion (cf. p. 350). Le parallélisme des deux scènes est souligné par le parallélisme du geste : se pencher sur le pied malade, se pencher près du lit où repose Mlle Varthon. La maladie suscite le geste d'attention passionnée.

Un élément fondamental de toute reconnaissance, c'est la surprise. Or on constate que la surprise est en effet essentielle à la scène, souvent située à son ouverture. Surprise qui peut être plus ou moins grande : curiosité de M. de Tervire lorqu'il trouve une petite fille à la ferme ; véritable coup de théâtre quand Marianne et les assistants voient arriver Valville et Mme de Miran chez le ministre. Et ne peut-on pas considérer comme une reconnaissance le cas où un personnage retrouve un rival dans un individu bien connu de lui, mais qu'il ne soupçonnait pas de ce rôle ? Loin d'éviter les ressemblances, Marivaux souligne les parallélismes. Coup pour coup : Valville « trouva mon homme dans la même posture où, deux ou trois heures auparavant, l'avait surpris M. de Climal » (p. 120).

Après la surprise, l'émotion fait partie de façon indispensable de la scène romanesque. Simple mouvement de trouble chez M. de Climal. Mais quand il s'agit d'une scène de reconnaissance à proprement parler, l'émotion ira jusqu'aux larmes, aux signes physiques du bouleversement : « Mon fils ! Ah ! malheureux Dursan ! je te reconnais assez pour en mourir de douleur, s'écria-t-elle en retombant dans le fauteuil, où nous la vîmes pâlir et rester comme évanouie » (p. 527). Souvent l'émotion est si forte qu'elle se traduit par un arrêt de la parole et par conséquent du dialogue, le romancier se contente alors de noter les marques de l'émotion sur les visages. Ainsi, lorsque la mère de Tervire soupçonne qu'elle a sa fille devant elle : « elle ne me répondait point, elle se taisait, interdite. L'air de son visage étonné me frappa ; j'en fus émue moi-même, il me communiqua le trouble que j'y voyais peint, et nous nous condidérâmes assez longtemps, dans un silence dont la raison me remuait d'avance, sans que je le susse, lorsqu'elle le rompit d'une voix mal assurée pour me faire encore une question » (p. 566). La parole ne vient qu'ensuite, pour permettre une sorte de vérification de ce que l'intuition avait deviné, de ce qui avait déjà été dit par les regards et par le trouble. Sur ce point encore, les analogies sont grandes avec la scène d'amour. La révélation, dans l'un et l'autre cas, dépasse tout langage.

Si la scène de reconnaissance nous semble fondamentale dans *La Vie de Marianne* — et préfigurant cette scène qui résoudrait le roman et son énigme, mais que le romancier ne nous donnera jamais, du moins sous la forme que le lecteur pourrait entendre, il n'en reste pas moins que dans la variété et l'ampleur de l'œuvre, on relèvera, bien évidemment, d'autres types de scènes romanesques. Scènes réalistes, comme la fameuse dispute de la Dutour et du cocher ; à vrai dire elles ne sont pas indispensables au déroulement du récit ; elles font plutôt l'effet d'un divertissement, d'une scène de genre. A l'opposé des scènes de reconnaissance où tout se passe dans le bouleversement des consciences, il s'agit de scènes bruyantes, extérieures ; elles peuvent cependant se conjuguer avec la scène de reconnaissance, quand la Dutour retrouve Marianne chez Mme de Fare ; c'est là une reconnaissance caricaturale, refusée, qui ne repose pas sur un lien du sang ou du cœur.

Une place devrait être faite aussi, dans un inventaire des scènes romanesques, à ce que l'on pourrait appeler les scènes de confidence ou de délibération. Tandis que dans les scènes de reconnaissance, la parole était comme coupée, ici, au contraire, elle reprend ses droits : scènes bavardes, toutes en dialogues. Dans cet opéra pour voix de femmes qu'est *La Vie de Marianne*, ces confidences, ces délibérations auront lieu presque uniquement entre femmes : Mme de Miran et Marianne, au premier chef, mais aussi Marianne et la supérieure ou une religieuse, Tervire et Mme Dursan, Mme Darcire, etc... Elles sont longues habituellement et constituent une sorte de tissu romanesque en demi-teinte qui contraste avec les forts accents que marquent les brèves et bouleversantes scènes de reconnaissance.

La différence que nous sommes amenée à établir entre scènes de reconnaissance, au sens large, et scènes de délibération ou de confidences, peut rejoindre la distinction proposée par R. Barthes dans son « Introduction à l'Analyse structurale des récits »[8],

8. *Poétique du récit*, Seuil, 1977, p. 19-21.

entre « fonctions » et « indices ». Les scènes de reconnaissance font découvrir des fonctions nouvelles ; les personnages y apprennent qu'ils sont parents, rivaux, amoureux etc... Tandis que dans les scènes de délibération ou de confidence, se révèlent surtout des « indices caractériels concernant les personnages ». La première catégorie de scènes se rattache davantage à des récits de type primitif comme les contes, tandis que la deuxième catégorie appartient exclusivement au roman psychologique.

Certains lecteurs ont pu trouver longues ces scènes de délibération et de confidence. Une lecture approfondie révèle leur utilité pour l'action ; elles font progresser infailliblement le personnage vers son destin. Marianne dialogue avec la supérieure du couvent, mais Mme de Miran l'écoute et va concevoir pour elle une grande affection. Cette scène n'aurait pas été possible, si nous n'avions eu précédemment la scène avec le religieux qui se termine par une fin de non-recevoir polie, et qui par conséquent amène le désespoir de Marianne et son envie d'entrer dans la chapelle du couvent de femmes : la scène de refus appelle la scène d'accueil (mais on voit que ces deux scènes de dialogue ne sont pas absolument sans référence aux scènes de reconnaissance : il y a eu un refus d'aide, c'est à dire d'adoption spirituelle, de la part du religieux ; il va y avoir au contraire une reconnaissance maternelle et double : la religieuse, après quelques réticences, accepte de recueillir l'orpheline et Mme de Miran va la considérer comme sa « fille »). L'invitation chez Mme de Fare n'est pas un simple divertissement mondain : elle entraîne la scène de la Dutour (ou la reconnaissance burlesque) ; d'où la cabale de toute la famille et finalement l'enlèvement. La lenteur du rythme général, l'espacement dans le rythme de la publication ne doivent pas tromper le lecteur : tous les épisodes s'enchaînent avec une grande rigueur. On se rappelle encore ce propos de R. Barthes : « Tout laisse à penser (...) que le ressort de l'activité narrative est la confusion même de la consécution et de la conséquence »[9]. Tout doit paraître se dérouler dans le récit selon une logique implacable, et le lecteur saisit ainsi l'enchaînement des scènes ; son rôle essentiel de lecteur diligent consiste, en effet, à penser : « il y a eu, il va y avoir du sens »[10]. Sinon l'intérêt disparaîtrait. Il est bon même parfois que le lecteur ait l'agréable sentiment

9. *Op. cit.*, p. 22.
10. *Op. cit.*, p. 23.

de saisir ce sens plus vite que ne le fait le personnage. Il pressent la scène de « reconnaissance » bien avant le principal intéressé. Il comprend bien que ce n'est pas par hasard si M. de Tervire trouve dans une ferme un bébé qui a justement l'âge de sa petite-fille. Il pense, avant Marianne, que Valville s'intéresse beaucoup à la maladie de Mlle Varthon. Les réflexions du lecteur accompagnent, doublent, de façon muette, les observations de la narratrice.

Nous avons déjà eu l'occasion de noter l'abondance de ces analyses de la narratrice ; nous avons vu comment elles contribuaient à donner une présence à la femme de cinquante ans et à sa destinataire ; nous avons vu aussi comment elles influaient sur le rythme du récit, en le freinant considérablement. Il nous reste à examiner ici comment se situent ces réflexions par rapport à la structure du roman. La question est assez délicate, dans la mesure où l'on ne sait pas toujours avec certitude si elles émanent de l'héroïne ou de la narratrice ; d'autre part leur nature est variable : elles sont souvent étroitement mêlées au récit dont elles fournissent un commentaire serré. Parfois, au contraire, leur champ s'élargit à des problèmes psychologiques et moraux. Nous allons ici nous attacher essentiellement aux modes d'intégration de ces discours dans le récit.

Leur insertion présente une grande variété. Théoriquement et pratiquement, il y a trois solutions : les réflexions peuvent précéder le récit qui va alors fonctionner comme une sorte de confirmation des pressentiments du personnage ou de la prolepse de la narratrice ; elles peuvent suivre au contraire la scène dont elles fournissent le commentaire et parfois à plusieurs niveaux (Marianne-héroïne/Marianne-narratrice). Mais la troisième solution est plus subtile, et partant plus intéressante : elle consiste à faire de ces réflexions une sorte de doublure du récit, en les exposant parallèlement à la scène, dans la scène elle-même. C'est un peu le procédé de l'aparté au théâtre, avec une beaucoup plus grande facilité, et beaucoup plus de vraisemblance dans l'écriture romanesque. Un exemple caractéristique en est donné dans la quatrième partie ; Mme de Miran raconte à Mme Dorsin que son fils s'est épris d'une inconnue ; elle parle devant Marianne qui comprend peu à peu que c'est d'elle qu'il s'agit. Le dialogue se poursuit entre Mme de Miran et Mme Dorsin et les réflexions de Marianne constituent une « sous-conversation » : « Et puis vous savez, quand elle fut partie, les mesures qu'il prit pour la connaître. /Des mesures ! autre motif pour moi d'écouter./ Eh ! mon Dieu, madame, à quoi vous arrêtez-vous là ? s'écria Mme Dorsin » (p. 175) Tandis que le dialogue se déroule, progresse ou recule l'angoisse de Marianne. Nous assistons, une fois de plus, à une scène de reconnaissance ; Marianne se reconnaît elle-même dans la jeune fille dont il est question, et cette découverte se fait par le jeu de ce commentaire parallèle qui suit ligne à ligne la parole des deux amies. Tout l'intérêt de la scène est d'ailleurs focalisé sur cette sous-conversation, car le récit que fait Mme de Miran de l'aventure de son fils est bien connu du lecteur. Dans la seconde partie de la scène, lorsque Mme de Miran reconnaît que Marianne et la « grisette » ne font qu'un, la sous-conversation disparaît, n'ayant plus de raison d'être ; l'émotion, les larmes entraînent une communication directe qui aboutira à la suprême reconnaissance : Mme de Miran peut demeurer la mère de Marianne : « Oui, c'est ma fille plus que jamais ! » (p. 181). Que faire ? Marianne dira à Valville qu'elle veut être religieuse. Ainsi s'achève la scène, Mme de Miran et Mme Dorsin s'en vont. Marianne se retrouve seule : vient alors le temps d'une nouvelle réflexion, à deux niveaux, comme Marivaux le marque très nettement. Auto-analyse : « J'aimais un homme auquel il ne fallait plus penser ; et c'était là un sujet de douleur ; mais, d'un autre côté, j'en étais tendrement aimée, de cet homme, et c'est une grande douceur ». Intervient alors l'autre niveau de la réflexion et la narratrice s'amuse : « Oh ! voyez avec quelle complaisance je devrais regarder ma belle âme ». Mais le passage d'un niveau à un autre s'est opéré grâce à une réflexion psychologique plus générale, qui constitue un troisième degré, et le « on » marque la généralité de l'analyse psychologique et morale : « Avec cela on est du moins tranquille sur ce qu'on vaut ; on a les honneurs essentiels d'une aventure, et on prend patience sur le reste » (p. 190). Ainsi très habilement s'établit le lien entre le récit proprement dit et le discours sur le récit ; l'existence de plusieurs niveaux, et le fait que Marianne soit à la fois narratrice et objet de narration le permettent aisément. On ne s'écarte que par degré de la scène romanesque.

Le point d'aboutissement de cet écartement progressif, c'est la maxime qui offre le caractère de la généralité absolue. Tandis que la méditation de l'héroïne ou de la narratrice sur les événements qu'elle vient de relater a tendance à se dérouler dans une phrase sinueuse, et au besoin avec des parenthèses, sa réflexion, en devenant universelle, se resserre. On en citerait de très nombreux exemples. Je prends un peu au hasard, en allant du plus ample au plus condensé : « On croit souvent avoir la conscience délicate, non pas à cause des sacrifices qu'on lui fait, mais à cause de la peine qu'on prend avec elle pour s'exempter de lui en faire » (p. 68). « Il n'y a pas trop loin d'être si aimable à n'être plus digne d'être aimée » (p. 69). La Rochefoucauld et La Bruyère ne sont pas oubliés et les salons comme celui de Mme de Lambert que fréquente Marivaux, assurent à la maxime une tradition vivante[11]. Certaines ont déjà un accent romantique : « Nous qui sommes bornées en tout, comment le sommes-nous si peu quand il s'agit de souffrir ? » (p. 450). Il y a plus lapidaire : « Il faut se redresser pour être grand » (p. 131).

La maxime est le signe que l'on sort du monde strictement romanesque ; on quitte absolument l'ordre du récit qui est l'ordre temporel et contingent, pour aboutir à une généralité, à une éternité. L'abondance des réflexions constitue un glissement vers un autre genre littéraire qui serait celui de l'essai psychologique ou moral. Cette doublure du récit par le discours n'est d'ailleurs pas nouvelle ; elle remonte même aux origines du roman, le distinguant d'emblée de genres où le récit domine, comme le conte. Chrétien de Troyes en offre déjà l'exemple, et aussi cet ouvrage anonyme du XIIIe siècle : *La Quête du Saint-Graal*, où, selon les termes de Tzvetan Todorov[12], « le texte contient sa propre glose ». Sans être porteur d'un symbolisme religieux à décrypter, *La Vie de Marianne* se présente comme un parcours où l'héroïne rencontre des personnages, des événements dont elle ne perçoit pas immédiatement le sens ; il lui faut une réflexion juste après l'anecdote ou même trente ans après quand elle fait son récit. La distance qu'elle a prise par rapport à son existence, lui permet de trouver une signification — et c'est ce qu'expriment les nombreux passages de méditation morale que contient le roman. L'analyse de la structure débouche inévitablement sur une interrogation : quelle est la signification de l'œuvre ? Il semble difficile de mener une étude structurale jusqu'au bout sans en venir à cette question.

Roman de formation, *La Vie de Marianne* est le roman d'une quête à la fois de la mère et de l'identité. Une quête dont l'aboutis-

11. Cf. F. Deloffre, éd. de *La Vie de Marianne*, p. 74, n. 1

12. *Poétique de la prose*, Le Seuil, 1971, p. 131.

sement est inconnu au lecteur, mais n'en est pas moins certain, puisque la narratrice sait depuis une quinzaine d'années qui elle est. Or la scène de reconnaissance fondamentale, le lecteur ne la voit pas, comme si elle était frappée d'interdit, comme si Marivaux avait reculé (et jusqu'à renoncer) le moment d'écrire cette scène capitale, mais probablement à la fois trop lourde de sens, et trop grevée d'une tradition romanesque et du poids des clichés. Beaumarchais et Mozart se moqueront allégrement des grande scènes de reconnaissance, dans *le Mariage* ou dans *les Noces de Figaro* : « *su padre* », « *su madre* ». Mais le fait que l'identité de Marianne reste inconnue d'elle-même pendant tout le cours des événements devient le moteur même de l'action et l'aliment de la réflexion. L'idylle avec Valville eût été vite menée à conclusion sans ce doute fondamental qui multiplie les obstacles, et introduit l'hésitation dans le cœur de Valville, tout autant que les charmes de Mlle Varthon. Se pose alors la question : dans une société, peut-on aimer et être aimé sans identité ?

Et parce que l'inconnue de l'équation n'est pas résolue dans le roman, les scènes de reconnaissance se multiplient, soit que d'autres personnages dévouvrent des liens de parenté, soit que Marianne se découvre des mères de substitution. Parallèlement les gloses morales se développent dans les dialogues ou en aparté. Mais le roman privé de sa résolution, ne présente pas une progression linéaire. Dans une société où la naissance a une telle importance, tant que le personnage n'a pas assuré son identité, sa situation demeure précaire. Si Mme de Miran mourait, Marianne se retrouverait aussi démunie, aussi solitaire qu'après la mort de la sœur du curé qui l'avait recueillie, ou après la mort de sa mère. Cet élément fondamental, tout autant que l'inachèvement (qui en est peut-être la conséquence) et que le mode de publication, confère au lecteur le sentiment que tout pourrait recommencer indéfiniment, inlassablement. L'ascension sociale demeure fragile, sans pièces d'état-civil ; seul le mariage aurait pu l'assurer, mais il se trouve différé, et pour cause. L'abondance des réflexions et des gloses provient peut-être aussi de cela : le dynamisme du récit (à la différence de ce qui se passe dans *Le Paysan parvenu*) n'est pas suffisant pour supprimer tout ce qui n'est pas lui. Le courant est celui d'un grand fleuve lent qui entraîne avec lui beaucoup d'alluvions.

Tout va beaucoup plus vite dans l'histoire de Tervire qui ne doute pas de son identité[13]. Il semble que sentant la nécessité d'accélérer le rythme, le romancier ait préféré greffer une autre histoire où la « reconnaissance » serait beaucoup plus rapide, et partant, toute l'action. Quitte à laisser inachevée l'histoire de Marianne dont rien ne devait troubler le lent déroulement et qui finalement s'immobilise dans l'inachèvement : *pendent opera interrupta*. Le récit des origines a été fait maintes fois, l'énigme demeure, et il ne semble même pas que Marianne entreprenne des recherches pour découvrir une trace de sa mère, comme le fait Tervire : elle ne pourrait trouver que le souvenir d'une morte. Elle semble s'en remettre au hasard qui fera bien les choses, mais quand ? La recherche des origines qui sous-tend et explique le roman, n'affleure pas assez nettement au niveau des événements pour donner au récit une direction ferme. L'amour pour Valville ferait oublier que la question préalable n'a pas été résolue, s'il était capable de se dérouler en dehors de la société ; mais il n'en est rien, et ce deuxième thème (l'amour) comme le premier (la recherche de l'identité) reste en suspens. Le lecteur demeure assez désorienté dans la mesure où il perçoit des structures sans saisir leur finalité. Il ne sait pas, il ne saura jamais où aboutit la quête. Peut-être faudrait-il voir dans *La Vie de Marianne* un de ces romans de l'inaboutissement dont *Jacques le Fataliste* figurera un exemple encore plus frappant. « Où allaient-ils ? Sait-on où l'on va ? » Le roman ne sait plus bien où il va au XVIIIe siècle, parce que la société, elle aussi, ne voit plus très bien son but. Les structures romanesques se trouvent privées de leur finalité — ou mobilisées pour signifier cette absence — parce que les structures sociales et morales n'ont plus exactement la finalité qu'elles croyaient avoir. Certes nous sommes encore loin de la Révolution et Marivaux n'est pas Diderot. Mais le lecteur, lui, ne peut pas ne pas sentir un certain malaise devant l'absence de fin (dans tous les sens du terme) d'un roman, devant l'absence d'identité d'un personnage central, et il lui est loisible alors de s'interroger. Sous le bercement fluide de sa phrase, Marivaux inquiéte.

13. La religieuse raconte davantage et commente moins que ne le faisait Marianne ; la digression morale qui semblait caractéristique du style de Marianne, l'est beaucoup moins de celui de Tervire que Marianne reproduit. Cela se traduit par la différence même des volumes de narration (quoiqu'on ne puisse se servir qu'avec une extrême prudence de ces critères quantitatifs, puisque ni l'histoire de Tervire ni celle de Marianne ne sont achevées). Le rythme de publication s'accélère aussi (les parties IX, X et XI paraissent en même temps). Cf. *supra,* p. 32, n. 7. B. Braumont, « Le tome VIII de *La Vie de Marianne* et la proscription des romans », *R.H.L.F.,* mai-juin 1983.

IV
PERSONNAGES

I. FONCTIONS

La nouvelle critique a trop souvent dénoncé les erreurs d'optique de l'ancienne, l'a trop vertement accusée d'étudier les personnages d'un roman comme s'il s'agissait d'êtres réels, pour qu'on ose encore se risquer à aborder les personnages autrement que comme des « êtres de papier », et nous serons amenée à voir en eux essentiellement, selon l'heureuse expression de Philippe Hamon, « le support des conservations et des transformations du récit »[1]. A la différence d'un être réel, « un personnage de roman naît seulement des unités de sens, n'est fait que de phrases prononcées par lui et sur lui »[2].

L'ouvrage célèbre de Propp, *Morphologie du conte*, a instauré un nouveau type d'études, qui est essentiellement celle des fonctions narratives. Mais cette théorie elle-même dut vite être affinée, transformée, comme elle le fut par Lévi-Strauss[3] et surtout par Greimas. Plus l'œuvre littéraire est complexe, plus la réduction du personnage à sa fonction est insuffisante, et ce qui convenait parfaitement à l'analyse des contes russes, risque de se révéler assez inopérant pour *La Vie de Marianne*. Pas totalement cependant ; et nous commencerons par cette analyse des fonctions, intimement liée d'ailleurs à l'étude des structures du récit. Mais beaucoup

1. « Statut sémiologique du personnage », in *Poétique du récit*, p. 125.
2. Wellek et Waren, *La théorie littéraire*, Seuil, 1971, p. 208.
3. *Anthropologie structurale*, II, Plon, 1973.

d'autres questions se posent, une fois que l'on a déterminé quels étaient les personnages « opposants » ou « adjuvants ». Toute catégorie de différence qui peut exister entre les personnages crée un axe sémantique qu'il conviendrait d'examiner, sans oublier, comme le note très justement Philippe Hamon que « à la différence du morphème linguistique, qui est d'emblée reconnu par un locuteur, « l'étiquette sémantique » du personnage n'est pas une « *donnée* » a priori et stable, qu'il s'agirait purement de *reconnaître*, mais une *construction* qui s'effectue progressivement, le temps d'une lecture, le temps d'une aventure fictive »[4]. L'âge, le lien de parenté, le sexe, la classe sociale, l'idéologie, l'argent semblent des éléments de classifications des personnages absolument fondamentaux. Mais cette classification générale est loin d'épuiser les questions qui se posent à propos du personnage de roman. Il ne suffit pas de classer par exemple, personnages masculins et personnages féminins, ce qui serait bien simple, sauf cas de travestis (qui n'existe pas dans *La Vie de Marianne*), encore faut-il essayer de cerner comment le romancier indique la différence sexuelle, comment est figuré, dans le texte, le corps du personnage. On se demandera également comment fonctionne la désignation du personnage qui est susceptible de plusieurs degrés : le pronom personnel, mais aussi la qualification : « cette aimable orpheline », ou encore le nom propre, et il faudra montrer à quel moment il intervient et selon quelles lois. Ce préambule, pourtant très sommaire, donne une première idée de l'abondance des sujets que nous aurons à aborder à propos du personnage dans *La Vie de Marianne*[5].

On se souvient des personnages-types chez Propp : l'Agresseur, le Donateur, l'Auxiliaire, la Princesse, le Mandataire, le Héros, le Faux-héros, ou des catégories de Greimas : sujet-objet, destinateur-destinataire, adjuvant-opposant. Malgré les différences fondamentales qui séparent un conte russe d'un roman français du XVIIIe siècle, il demeure certaines constantes du récit qui sont intéressantes à délimiter, parce qu'il semble que l'on arrive là à une sorte de fond commun à toute narration. L'héroïne, Marianne, est d'origine inconnue, ce qui est fréquent dans les contes et dans les mythes : Œdipe n'est pas le seul ! Après une enfance

4. *Op. cit.*, p. 126.

5. On consultera : R. Rosbotton, *Marivaux's Novels : Theme and Function in Early Eighteenth Century Narrative*, London Ass. Univ. Press, 1974.

tranquille, elle part à l'aventure. Ce départ est signifié par une double rupture : par le changement de lieu, l'arrivée à Paris, pays dangereux et fascinant, ville d'épreuves ; et par la mort de la protectrice de l'enfance : la sœur du curé. Ainsi le héros, ou plutôt l'héroïne pourra commencer sa quête. Mais déjà apparaît une différence avec le conte, du fait que, comme nous avons eu l'occasion de le signaler, l'objet de la quête est mal défini. La quête des origines, la recherche des parents n'est nullement proposée comme but, lors de l'arrivée à Paris. La sœur du curé, à la veille de mourir, propose un objet qui peut sembler plus prosaïque : trouver un état, gagner sa vie, éventuellement se marier. C'est le hasard qui fera apparaître le Prince charmant, sous la forme de Valville, et à partir de là, la quête deviendra celle de l'amour, et les différents personnages rencontrés peuvent se classer selon la mesure où ils aident cet amour ou, au contraire, y font opposition. Mais c'est alors qu'apparaît une certaine souplesse des fonctions narratives : tel personnage qui semblait d'abord un opposant devient un adjuvant, ou inversement. Ainsi les obstacles naissent et se dissipent. M. de Climal est un opposant d'abord ; mais ses révélations sur son lit de mort et sa donation le font passer, *in extremis*, dans la catégorie des adjuvants. La Dutour qui semblait bien intentionnée, sera le pire des « opposants », dans la mesure où ses révélations chez Mme de Fare seront catastrophiques. Toute la famille de Valville ne fera qu'un bloc dans le camp des opposants. Sauf Mme de Miran, adjuvante essentielle, fondamentale, paradoxale aussi, puisqu'au début tout semblait devoir la rendre hostile à ce mariage. Mais surgira une autre opposante, imprévue, Mlle Varthon. L'héroïne a donc connu trois obstacles essentiels : le vice de Climal, l'opposition de la famille, le charme de Mlle Varthon ; on retrouve là le triple obstacle qui sépare le héros du but, schéma fréquent dans de nombreux récits. Villot pourrait figurer, de façon un peu rapide, la caricature de l'objet cherché : le mari. L'officier en serait une seconde contre-façon, et enfin (si du moins le récit devait se poursuivre ainsi) après deux faux-semblants, le vrai prince charmant, Valville, aurait été retrouvé.

L'histoire de Tervire, dans la mesure où son rythme est plus rapide, offre encore des schémas narratifs beaucoup plus nets. L'histoire de sa mère, Mlle de Tresle, se ramène à la classique opposition des parents, un parallélisme évident apparaît avec l'histoire de Dursan : dans les deux cas, un mariage inégal et l'un des parents se trouve dans la situation d'opposant : le père, dans l'histoire des parents de Tervire, la mère, dans l'histoire de Dursan. Dans les deux cas l'interdit proféré par l'opposant est violé, d'où le point de départ des aventures et catastrophes. L'histoire de Tervire elle-même met en scène le schéma du remariage ; et le beau-père (dans beaucoup de contes, c'est la belle-mère) est l'opposant numéro un au bonheur de l'héroïne. L'objet de la recherche de Tervire est (plus nettement que pour Marianne) sa mère retenue dans ce Paris lointain et funeste. L'absence de nouvelles, l'accession à l'âge adulte, la double défection par la mort de sa grand'mère puis de Mme Dursan vont déclencher la quête proprement dite : le voyage à Paris, avec une adjuvante : Mme Darcire. La mère de Tervire a eu deux enfants, le bon et le méchant : comme souvent aussi dans les récits populaires, c'est celui qui était le choyé qui se révèle le méchant, et au contraire, l'enfant délaissé qui est le sauveur.

L'attrait de Tervire pour Dursan amène dans son histoire le thème d'une autre quête : celle de l'amour ; mais le récit n'en est pas suffisamment poussé pour que puisse apparaître toutes les virtualités narratives. La mère de Dursan va figurer le traître, celui qui change de camp et après avoir été l'objet d'un bienfait (la reconnaissance) devient un opposant. On constate évidemment des parallélismes dans les fonctions narratives entre l'histoire de Marianne et celle de Tervire : duplication du personnage bienfaisant, par exemple. Mme de Miran a une amie très favorable : Mme Dorsin, comme Mme Dursan a une amie Mme Dorfrainville. La Dutour, comme les Villot, représente pour l'héroïne un temps d'épreuve, d'apparente déchéance sociale. Marianne, comme l'a finement remarqué R. Mauzi, à la différence du héros picaresque, n'a pas à conquérir une position sociale, mais à faire reconnaître celle qui lui est due. Il en est de même pour Tervire, de noblesse provinciale et pauvre, mais fort ancienne : elle ne manquera pas de le rappeler à sa belle-sœur, qui, comme Mme de Fare, constitue un opposant à cette reconnaissance de la place sociale due à l'héroïne. Marianne et Tervire doivent retrouver dans la société la place qui est la leur, thème fréquent également dans les schémas narratifs élémentaires : un jeune roi avait été évincé ; il revient et reconquiert son trône.

Ces analyses ont le mérite de faire apparaître des fonctions fondamentales (sujet de la quête, objet de la quête ; adjuvant, opposant, etc...) et par conséquent de retrouver dans *La Vie de Marianne* le jeu des personnages qui constitue la grammaire de tout récit, à commencer par des récits plus simples, plus primitifs des contes et des mythes. Mais il ne s'agit, évidemment, que d'une grille d'analyse, et bien d'autres devraient être appliquées. Par exemple, un personnage peut-être envisagé comme sujet, comme objet, comme adjuvant ou comme opposant ; mais il peut aussi être considéré selon la structure de parenté qui apparaît et selon son sexe, les deux questions étant évidemment liées. Dans cet opéra pour voix de femmes, le sexe féminin l'emporte, certes, et non seulement en nombre, mais aussi en importance. L'homme ne prend une réalité que dans la mesure où il est l'objet de la quête : Valville, Dursan ; c'est « l'homme-objet » ! Il peut aussi figurer comme le méchant, et par conséquent l'opposant, par exemple Climal, ou pire le jeune prêtre pervers, qui séduit la religieuse amie de Tervire (mais il apparaît bien peu dans le récit). En tout cas, il est rarement adjuvant, bien au contraire ; il manifeste plutôt son incapacité, et, à ce propos, le parallélisme qui s'établit au début de l'histoire de Marianne entre le Père Saint-Vincent et la supérieure du couvent est bien révélateur. Le Père Saint-Vincent fait preuve d'une inefficacité totale ; la seule chose qu'il soit capable de faire, c'est de confier Marianne au funeste Climal. Au contraire, la supérieure, non sans quelques hésitations, accueille Marianne ; c'est elle qui lui fait faire la connaissance de Mme de Miran (sœur de Climal, ce qui accentue le contraste) et personnage uniquement bienfaisant.

On sera même étonné de voir que dans cette société où le pouvoir des hommes est théoriquement établi (mais Marivaux a écrit *La nouvelle Colonie*, où est un moment ébranlée cette hiérarchie des sexes), les personnages qui ont un pouvoir sont des femmes. Non certes un pouvoir politique, le ministre est un homme ; il ne pouvait en être autrement ; mais c'est la femme du ministre qui avait tout combiné, dans l'enlèvement de Marianne. Dans le groupe familial, les fortunes sont entre les mains de femmes, parce que Marivaux les suppose veuves : Mme de Miran, Mme Dutour Mme Varthon[6] sont veuves, et l'on ne parle pas du mari de Mme Dorsin ni de celui de Mme de Fare. Même situation dans l'histoire de Tervire : la grand'mère est veuve ; la mère est veuve deux fois. Mme Dursan est veuve, sa belle-fille le devient : point question du mari de Mme Dorfrainville. Mme de Saint-Hermières est une veuve un peu équivoque et qui fait espérer un prompt veuvage

6. Cf. p. 31 et P. 348.

à Tervire si elle épouse M. de Sercour. Mme Darcire doit venir seule à Paris pour régler des affaires d'argent. Si par hasard elle n'est pas veuve, la femme est fille, comme c'est le cas de la sœur du curé, de Mlle Varthon, de Marianne et de Tervire, des domestiques (Favier, la pseudo-Bruno), ou religieuse, et les religieuses abondent dans les deux histoires. A noter enfin que les deux narratrices fondamentales n'échappent pas à la condition générale : il semblerait que Marianne-narratrice est veuve, en tout cas, aucune allusion à un mari ; elle vit retirée du monde ; et Tervire, elle, est devenue religieuse.

Un tel inventaire est suffisamment impressionnant pour que l'on puisse en tirer quelques remarques. Il est bien vrai qu'au XVIIIe siècle la seule condition dans laquelle la femme jouisse d'une certaine liberté est celle de veuve et que l'absence de mari qui caractérise aussi bien la veuve que la fille ou la religieuse est une virtualité d'aventure romanesque. Si Mme de Miran n'était pas veuve, il n'y aurait pas lieu à une cabale familiale qui va jusqu'aux pieds du ministre. Si Mme Dutour avait un mari, la querelle avec le cocher perdrait beaucoup de son sel. Mme de Saint-Hermières ne pourrait se livrer à ses hypocrites intrigues ; le veuvage autorise le remariage de la mère de Tervire, c'est-à-dire le drame même qui est le sujet de son histoire ; son deuxième veuvage va permettre une réconciliation entre la mère et la fille. Le veuvage semble, dans *La Vie de Marianne*, la condition même du récit romanesque.

Les conséquences en sont évidentes sur la combinatoire des relations familiales dans le roman. La première conséquence est la suppression du rapport père-fils : le seul qui reste, très épisodique, est celui du père de Tervire avec son grand-père. Mais les deux héros principaux : Valville et Dursan n'ont pas de père, pas plus d'ailleurs semble-t-il que le jeune écclésiastique séducteur. Comme dans toute société matriarcale, la relation avunculaire supplante la relation paternelle. C'est à Climal que s'oppose Valville ; et c'est de Sercour que l'ecclésiastique est le rival. L'Œdipe se trouve ainsi déplacé.

Inversement la relation fils-mère est privilégiée : Valville, le jeune Dursan ont leur mère. La relation mère-fille est plus pathétique, puisque Marianne et Tervire l'ont toutes deux perdue, de façon différente. Point de problème, au contraire, dans la relation maternelle de personnages secondaires comme Mlle de Fare ou Mme Varthon. Et comme nous avons déjà eu l'occassion de le souligner, le manque des deux mères de Marianne et de Tervire, entraîne une multiplication des mères métaphoriques. Mais l'usage intempestit du mot « mère » n'est pas sans suggérer des zones plus troubles. Si Valville et Marianne appellent tous deux Mme de Miran « mère » ne se mettent-ils pas, au niveau du vocabulaire, dans une situation incestueuse ? Et Tervire appelle Mme Dursan sa mère, de la même façon. Le cas de Marianne est plus troublant du fait que son origine demeure inconnue. Certes il a été bien spécifié, au début du roman, que sa mère est morte dans l'accident de carrosse. et par conséquent ne saurait être Mme de Miran : au niveau du récit romanesque, voilà donc évanoui le fantasme d'inceste qui se réfugie dans le vocabulaire[7].

La véritable intimité demeure celle qui unit les femmes. Marianne se consolerait de la rupture avec Valville, à condition qu'elle n'entraîne pas la fin du rapport filial qui l'unit à Mme de Miran. Dans l'état d'inachèvement du roman, aucun héros masculin ne parvient à ses fins, et à « s'introduire dans ton histoire » pour reprendre le vers mallarméen. Peut-être parce qu'alors ce serait le mariage et la fin du roman. Mais on en revient toujours à découvrir de nouvelles causes à l'inachèvement : Marivaux semble s'être complu dans ce matriarcat que représente *La Vie de Marianne.*

Si les personnages ne sont pas unis par un lien de parenté, ou de quasi-parenté, ils peuvent l'être par l'amitié. Mais là aussi le contraste frappe immédiatement ; les hommes n'ont pas d'amis. Valville ne veut plus voir son camarade. Dursan, revenu à un état quasi-sauvage, est sans relation sociale. Marianne et Tervire ont des amies qui appartiennent nettement à la génération précédente. Par ailleurs, le lien qui unit Mme de Miran et Mme Dorsin semble très fort, plus encore peut-être que celui qui unit Mme Dursan et Mme Dorfrainville. Mlle Varthon deviendrait une tendre amie de Marianne, si Valville ne venait troubler ce lien naissant en y introduisant la rivalité. Mais Marianne est l'amie de Tervire, et c'est sur cette amitié même que repose l'unité du roman. La vie au couvent favorise ces sentiments d'amitié entre femmes. Pour l'organisation romanesque cette abondance d'amies et cette absence d'amis a une conséquence immédiate : la multiplication de personnages féminins, leur

7. Cf. p. 194-195 : « Oui, mon fils, lui dit-elle (...) Ma chère fille ajouta-t-elle ». « Elle en agit avec moi comme si j'étais votre sœur ».

duplication en quelque sorte. Au niveau de la structure romanesque, cette présence de l'amie entraîne souvent des scènes à trois personnages : l'une n'étant que le témoin de la conversation des deux autres, tel est bien le cas de Mme Dorfrainville et de Mme Dorsin surtout qui accompagne presque toujours Mme de Miran dans ses visites au couvent.

Ce phénomène de duplication ne joue pas, en revanche, dans l'organisation de la structure familiale : il est vrai que cette structure demeure en partie une énigme, puisque le lecteur ignore de quel sang Marianne tire son origine. Quoiqu'il en soit, et dans une époque où les familles étaient nombreuses (mais où la mortalité était galopante), Marivaux prévoit ici des familles très restreintes. La relation maternelle, ou pseudo-maternelle semble presque anihiler les autres possibilités. Quand Marivaux envisage la structure familiale sur le plan horizontal, il suppose un contraste ou une rivalité[8] : ainsi M. de Climal et Mme de Miran sont frère et sœur, mais représentent deux vivantes allégories (du moins jusqu'au renversement final) du Mal et du Bien. Le frère du père de Tervire est sans pitié et profite de la situation qui désavantage son frère à son profit. Les sœurs de sa mère n'apparaissent que pour se disputer l'héritage de la grand'mère avec une âpreté exemplaire. Enfin, la dernière figure est celle du demi-frère de Tervire qui est la dureté même, tandis que Tervire est le secours de sa mère.

Si pour la duplication du personnage, Marivaux refuse la facilité de la figure sororale ou fraternelle, il utilise un procédé plus strictement psychologique : le récit était marqué au sceau du dédoublement. Marianne parlant de Marianne, Tervire de Tervire, nous n'y revenons pas. Mais les êtres peuvent changer à tel point qu'ils apparaissent comme totalement autres. Valville infidèle est-ce bien encore Valville amoureux ? Quant à Climal, son hypocrisie est telle que Marianne parle de « deux Climal » : « M. de Climal, tête à tête avec moi, ne ressemblait point du tout au M. de Climal parlant aux autres : à la lettre, c'était deux hommes différents ; et quand je lui voyais son visage dévot, je ne pouvais pas comprendre comment ce visage-là ferait pour devenir profane, et tel qu'il était avec moi » (p. 42).

Quand on connaît le théâtre de Marivaux, on s'attendrait à

8. Sauf dans le paradis premier du curé et de sa sœur qu'unit une tendre affection.

ce qu'une place plus grande soit faite au travestissement. Mais l'univers romanesque et le monde du théâtre appartiennent à deux registres différents, et les lois du « vraisemblable » n'y sont pas les mêmes. Il n'y a guère que deux épisodes de déguisement ; encore n'ont-ils qu'une portée finalement assez limitée. C'est Valville se déguisant en valet pour remettre un billet à Marianne, et son déguisement trompe peu : ni Marianne, ni même Mme de Miran qui le voit de loin, ne sont dupes longtemps. « Du caractère dont il est, dit alors Mme de Miran en parlant à son amie, il faut que Marianne ait fait une prodigieuse impression sur son cœur ; voyez à quoi il a pu se résoudre, et quelle démarche : prendre une livrée ! » (p. 182-183). F. Deloffre fait judicieusement remarquer la différence que révèle cette réflexion entre le registre romanesque et le registre théâtral (p. 183, n.). Plus près de la réalité, je pense, le roman admet moins que l'on subvertisse l'ordre social, du moins quand il s'agit d'un roman qui comporte des aspects réalistes[9].

L'autre déguisement se trouve dans l'histoire de Tervire : c'est la jeune Mme Dursan se plaçant chez sa belle-mère, sous le nom de « la Brunon » (p. 515). Ce déguisement ne subvertit pas non plus l'ordre social, puisqu'il ne vise qu'à faire reconnaître la jeune Mme Dursan par sa belle-mère ; s'il y a eu transgression c'est par le mariage et la mésalliance, non par le déguisement : la mésalliance à précédé le déguisement et l'a rendu nécessaire ce n'est pas le mariage qui conclut le déguisement ; au théâtre, ce serait l'inverse, sans que pour autant la société soit menacée ; il suffit d'un double déguisement, pour que finalement chacun se marie dans la classe à laquelle il appartient.

Il est un travestissement beaucoup plus profond, involontaire : celui que la misère et la maladie imposent à un personnage : ainsi, par deux fois, dans l'histoire de Tervire. Dursan vieilli, près d'expirer, est méconnaissable ; et comment retrouver la noble et arrogante mère de Tervire dans la pauvre femme qui demande une place dans un carrosse et se réfugie dans une auberge médiocre où elle ne peut pas même payer son écot ? C'est l'argent, le manque d'argent plutôt qui crée le déguisement le plus dramatique, et celui qui colle à la peau. Et Marianne, elle-même, lorsqu'elle est l'appren-

9. Cette remarque vaut surtout si l'on compare *La Vie de Marianne* au théâtre de Marivaux. Il va sans dire que de nombreux romans présentent des travestissements : romans précieux ou baroques. A ce sujet, l'exemple des *Amours du chevalier de Faublas* de Louvet de Couvray est fort curieux.

tie de Mme Dutour n'est-elle pas victime d'un de ces déguisements du sort, elle qui est probablement d'origine noble ? Si bien que les costumes donnés par M. de Climal ou par Mme de Miran qui pourraient apparaître comme des déguisements à une Toinon, apparaissent bien au lecteur pour ce qu'ils sont : les vêtements qui conviennent véritablement au rang de Marianne.

La question de l'identité de Marianne est profondément liée à celle de la distinction entre classes sociales. En ce sens que ce qui importe, ce n'est pas tant de qui Marianne est la fille mais appartient-elle bien à la noblesse ? et le nom de ses géniteurs n'aurait peut-être d'autre intérêt que de confirmer cette appartenance. Parmi les divers clivages qui sont marqués entre les personnages, celui des classes sociales, comme on peut s'y attendre dans cette société du XVIIIe siècle, est un des plus marqué. Encore, et cela est bien caractéristique aussi du XVIIIe siècle, ne se distingue-t-il pas absolument du clivage de l'argent. En cela proche du héros des romans picaresques, Marianne va traverser des milieux fort différents, et elle est sensible aux nuances. La fille de boutique lui apparaît comme plus libre que la femme de chambre, et elle préfère encore entrer chez la Dutour que servir dans une grande maison. « Puisque je suis obligée de travailler pour vivre, ajoutai-je en sanglotant, je préfère le plus petit métier (...) pourvu que je sois libre » (p. 28). Les domestiques se retrouvent dans la plupart des épisodes romanesques comme d'indispensables figurants, accompagnant les entrées et les sorties des acteurs. Certains pourtant ont une personnalité qui se dégage davantage. Là encore, on est loin de l'univers du théâtre, point de soubrette, accorte confidente. Si Mme Dursan recherche une certaine intimité avec ses femmes de chambre, c'est en raison de son grand âge et de ses infirmités. Partout ailleurs la distance entre maîtres et serviteurs est scrupuleusement observée. D'ailleurs ces domestiques ne sont pas très sympathiques : ce sont des rouages dans le mécanisme romanesque, comme la Favier qui déclenche l'action contre Marianne par ses bavardages inconsidérés. Marianne, tant que sa situation est socialement mal définie, redoute les valets, à propos desquels elle livre des réflexions peu amènes : « ces gens-là sont plus moqueurs que d'autres ; c'est le régal de leur bassesse, que de mépriser ce qu'ils ont respecté par méprise, et je craignais que cet homme-ci, dans son rapport à Valville, ne glissât sur mon compte quelque tournure insultante »

(p. 92). Les domestiques, tels qu'ils apparaissent dans *La Vie de Marianne*, sont les meilleurs gardiens de la hiérarchie sociale et censurent sévérement ceux qui, comme Marianne, leur semblent vouloir la transgresser : ignorants la naissance de l'héroïne, ils ne voient en elle qu'une aventurière.

Le passage chez la Dutour permet à Marivaux une très savoureuse évocation du monde des boutiques où les hiérarchies sont maintenues d'ailleurs entre la patronne et la simple employée, Toinon. La scène du cocher a choqué beaucoup de lecteurs de l'époque, et depuis, réjoui tous ceux qui sont sensibles au réalisme de l'univers romanesque chez Marivaux. Mme Dutour se considère comme une bourgeoise ; mais cela n'arrête pas la colère du cocher : « Quand vous seriez quatre fois plus bourgeoise que vous n'êtes » (p. 93). La scène prend une valeur métonymique : elle est chargée, à elle seule, de représenter tout ce monde de petits bourgeois ; ainsi, Marivaux peut faire l'économie d'autres scènes de genre : il passe rapidement sur les achats que Marianne et M. de Climal vont faire ailleurs : gants, linge, etc... La valeur générale de la scène est renforcée par le soin avec lequel Marivaux évoque tout un contexte, en particulier la présence de la foule de Paris : « Le peuple, à Paris, n'est pas comme ailleurs (...) : il est moins canaille et plus peuple que les autres peuples (...) Ce sont des émotions d'âme que ce peuple demande ; les plus fortes sont les meilleurs » (p. 95).

L'histoire de Tervire se situant, en ses commencements, à la campagne, introduit une autre réalité sociale : celle des paysans. Mais Marivaux n'a que faire d'évoquer les travaux des champs dans ce contexte romanesque ; il laisse néanmoins un tableau très précis de la famille Villot qui héberge Tervire enfant. L'habitat, les ressources, les occupations, la structure familiale des Villot, tout cela permet d'avoir une image très vivante. « Ancien fermier » du grand-père, il semble avoir maintenant son autonomie et vit au bourg de façon modeste mais libre. Les distinctions sociales sont moins impératives à la campagne qu'à la ville : « J'avais quatre ou cinq compagnes dans le bourg et aux environs ; c'étaient des filles de bourgeois du lieu, avec qui je passais une partie de la journée, ou les filles de quelques gentilshommes voisins, et dont les mères m'emmenaient quelquefois dîner chez elles, quand le fermier, qui avait affaire à leurs maris, devait venir me reprendre » (p. 451). Filles de nobles et filles de bourgeois sont amies de Tervire qui, à la différence de Marianne, est d'une origine connue de tous. Mais

Marivaux note soigneusement que la hiérarchie sociale demeure, de façon symbolique, au niveau du langage. Les filles nobles « m'appelaient Tervire, et me tutoyaient ». « Les bourgeoises (...) usaient de finesse pour sauver leur petite vanité, et me donnaient un nom qui paraissait les mettre au pair. J'étais ma chère amie pour elles » (p. 452).

Hommes de loi et médecins sont fort présents dans *La Vie de Marianne*, mais comme comparses. Un « procureur fiscal » dès le départ, dresse un procès-verbal de l'accident de carrosse. On suppose que ce détail n'est pas gratuit, et que lorsque Marivaux écrivait la première partie, il songeait bien à utiliser ce procès-verbal pour la reconnaissance finale. Le notaire donne plus de poids au testament, comme le médecin en donne à la maladie. Il faut qu'un médecin vienne pour que la foulure au pied de Marianne ait un certain sérieux. La présence du médecin permet une scène de genre, et l'illustrateur ne manquera pas de la dessiner : contraste entre le vieux médecin et le jeune Valville qui tous deux se penchent avec attention sur le joli pied. « Le bon homme, pour mieux juger du mal, se baissait beaucoup, parce qu'il était vieux, et Valville (...) se baissait beaucoup aussi, parce qu'il était jeune » (p. 68).

Les milieux ecclésiastiques tiennent une place fort importante dans *La Vie de Marianne* et Marivaux a soigneusement noté leurs variations : clergé séculier et régulier, campargnard ou citadin, religieux ou religieuses : l'éventail est largement ouvert. Comme dans *L'Ingénu*, le curé de campagne figure une sorte de refuge initial mythique : la cure est le lieu du bonheur préservé, loin de la corruption de la ville, avant que commence l'aventure : paradis terrestre de forme modeste, mais où les êtres connaissent la vraie candeur. Ils sont prédestinés à recueillir Marianne : comme elle, le curé et sa sœur « étaient de très bonne famille : on disait qu'ils avaient perdu leur bien par un procès, et que lui, il était venu se réfugier dans cette cure, où elle l'avait suivi, car ils s'aimaient beaucoup » (p. 13). Point chez eux de ce caractère semi-paysan qui caractérise habituellement le curé de campagne du XVIIIe siècle. Marianne ne peut avoir de véritable intimité qu'avec des êtres de sa classe.

Avec son arrivée en ville, Marianne fait connaissance du clergé régulier. Le père Saint-Vincent n'est charitable qu'à condition qu'on ne trouble pas son confort : « Ce bon religieux ne savait que me répondre ; je crus même voir à la fin que je lui étais à charge, parce que je le conjurais de me conduire ; et ces bonnes gens, quand ils vous ont parlé, qu'ils vous ont exhorté, ils ont fait pour vous tout ce qu'ils peuvent faire » (p. 25). Le père Saint-Vincent joue, sans le vouloir certes, mais par manque de clairvoyance, le rôle de proxénète et de pourvoyeur de M. de Climal : rôle dont le roman libertin n'hésite pas à charger les moines.

La supérieure du couvent ne se révèle accueillante que grâce à l'intervention de Mme de Miran. Marivaux s'est plu à accentuer le contraste qui existe entre son amabilité tant qu'elle croit Marianne de noble famille, et ses réticences par la suite. Elle cherche alors à la rejeter vers le Père Saint-Vincent « tout n'est pas désespéré ; il faut voir ce que ce religieux, que vous appelez le père Saint-Vincent, fera pour vous (...) il lui est bien plus aisé de vous rendre service qu'à moi qui ne sors point » (p. 153) : les religieuses sont cloîtrées ; mais non les religieux, du moins ceux que nous voyons dans le roman.

En dehors de la prieure, et de Tervire,[10] les autres religieuses sont un peu indistinctes ; mais Marivaux est parvenu à rendre admirablement l'atmosphère du couvent, ce mélange d'amitiés et de rivalités, cette fermentation, ces petites cabales qui naissent du renfermement des femmes. Nous en trouverons d'autres exemples dans le roman, puisque Marianne connaîtra un second couvent, et que dans l'histoire de Tervire prendra place aussi la description du couvent où Mme de Saint-Hermières voudrait la faire entrer.

A l'ombre du couvent, se profilent des êtres assez inquiétants de faux dévots. Tartuffe a eu une progéniture. On notera une fois de plus la symétrie qui existe entre l'histoire de Marianne et celle de Tervire. Deux hypocrites : un hypocrite mâle dans la personne de M. de Climal ; une hypocrite femelle dans la personne de Mme de Sainte-Hermières. Mais celle-ci est entourée de tout un groupe de pseudo-dévots qui se réunissent chez elle en des colloques prétendûment mystiques.

Marivaux a donc donné dans son roman une large place à la description de milieux écclésiastiques ou para-ecclésiastiques. Et l'impression générale n'est pas favorable : les seuls êtres sympathiques, ce sont ceux qui souffrent du système, qui ont été mis de force au couvent. Observation personnelle ? (quoique M.-J. Durry ait prouvé que Marivaux ne pouvait pas encore penser à l'expérience de sa fille au noviciat, quand il écrivait *La Vie de Marianne*) ?

10. Et, bien évidemment, de la religieuse passionnée et désespérée qui apparaît dans l'Histoire de Tervire.

Tradition littéraire aussi, et qui remonte loin : aux fabliaux du Moyen-âge. L'anticléricalisme est fréquent aussi dans le roman du XVIIIe siècle (sans avoir besoin d'évoquer le cas extrême de Sade). C'est presque une nécessité du récit : dans un couvent exemplaire, aucun événement romanesque ne peut se produire.

Les personnages véritablement importants dans le roman se situent tous dans la noblesse, puisqu'il est bien spécifié que l'origine de Marianne ne saurait être cherchée ailleurs[11]. Encore qu'un lecteur quelque peu sensible percevra aisément les nuances que Marivaux n'a pas manqué d'établir à l'intérieur de cet « ordre » qui, pas plus que les deux autres, ne présente une véritable homogénéité. Un premier clivage s'établit entre noblesse parisienne, et noblesse provinciale. On ne vit pas exactement dans le château de Tresle ou de Tervire, comme chez Mme de Miran ou chez la belle-sœur de Tervire. L'absence des maris, dans cet univers féminin, rend parfois un peu difficile de situer exactement les personnages dans l'ordre social représenté par les hommes. On ne sait pas qui était M. de Miran. Le lecteur, surtout du XVIIIe siècle, aura tendance à supposer qu'il appartient à la noblesse d'épée. Il est spécifié que la noblesse de Tervire est fort ancienne. On ne trouve pas dans *La Vie de Marianne* le clivage noblesse d'épée/noblesse de robe, où Roger Vailland croira découvrir une explication du duel à mort entre Mme de Merteuil et la Présidente.

Une amitié existe entre M. de Climal et le magistrat qui vient le voir sur son lit de mort et qui n'est nommé que par sa fonction « le magistrat » (p. 253, p. 257) ; il est présenté comme un « homme poli et froid ». Mme de Fare et sa fille sont ses « parentes » est-ce suffisant pour en inférer qu'elles appartiennent également à la noblesse de robe ? Elles seraient d'autant plus soucieuses de préserver leur noblesse de mésalliances que cette noblesse serait plus récente, ainsi s'établirait une distinction assez habituelle entre Valville et Mme de Miran, d'une part, d'une noblesse plus affirmée et que le mariage avec une jeune fille d'origine inconnue n'effraie pas, et, d'autre part, Mme de Fare beaucoup plus pointilleuse. Mais dans le roman, comme dans la réalité, noblesse de robe et d'épée se marient entre elles[12], puisque Mme de Fare est

11. Cf. p. 177, les propos de Mme de Miran : « elle avait l'air d'une fille de très bonne famille ».

12. Cf. « un magistrat cousin de ma mère » (p. 323).

parente de Valville. Si notre hypothèse est acceptable, on trouverait donc dans *La Vie de Marianne*, comme dans d'autres textes romanesques (en particulier ceux de Sade) un éclairage plus favorable sur la noblesse d'épée que sur la noblesse de robe. Et si la séparation de ces deux noblesses n'est pas marquée comme dans *Les Liaisons dangereuses*, elle n'en existe pas moins. On jugera même peut-être surprenant le coup d'œil de Marianne, qui, arrivant chez le ministre, fort troublée, et sans avoir une grande d'habitude du monde, identifie avec tant de précision probablement d'après leur vêtement, l'origine sociale des hommes qu'elle aperçoit : « J'y trouvai cinq ou six dames et trois messieurs, dont deux me parurent gens de robe, et l'autre d'épée » (p. 313).

Marivaux n'a pas voulu donner des tableaux de la vie de la noblesse. S'il est vrai que Mme de Miran et Mme Dorsin sont des figures de Mme de Lambert et de Mme de Tencin, il lui aurait été facile d'évoquer ces salons dont il était familier. Mais il ne parle que de quelques déjeuners chez Mme Dorsin ; et parce qu'ils sont strictement nécessaires à l'économie générale du récit : ils prouvent que Marianne est spontanément à l'aise dans le monde, donc qu'elle est bien née.

Le ministre n'appartient que partiellement à cette catégorie de personnages que Philippe Hamon appelle des « personnages-référentiels ». On ne peut pas dire qu'il s'agisse d'un personnage historique, puisque, s'il semble bien que l'identification avec Fleury soit certaine, il n'est pas nommé dans le roman, en tant que tel. Mais il est désigné par son emploi dans la société : « le ministre ». Ces « personnages référentiels » « renvoient à un sens plein et fixe, immobilisé par une culture, à des rôles, des programmes, et des emplois stéréotypés, et leur lisibilité dépend directement du degré de participation du lecteur à cette culture (...) Intégrés à un énoncé, ils serviront essentiellement « d'ancrage » référentiel en renvoyant au grand Texte de l'idéologie, des clichés, ou de la culture »[13]. Ils permettent un « effet de réel »[14]. Sa présence rappelle que les familles possédaient des moyens puissants d'empêcher les mésalliances : en obtenant une lettre de cachet. Néanmoins le ministre refuse de rentrer dans le jeu de la famille, sans pour autant subvertir en rien le système, puisqu'il ne fait que pressentir la véritable origine de

13. « Statut sémiologique du personnage », *Poétique du récit*, p. 122.

14. R. Barthes, *Communications*, 2, 1968.

Marianne. Pour continuer à emprunter la terminologie de Ph. Hamon, il serait donc un de ces « personnages-anaphores », chargés de reconnaître la noblesse de Marianne.

Car, dans ce tableau des classes sociales, on doit toujours garder présent à l'esprit que l'héroïne est la seule à ne pas être immédiatement désignée comme appartenant à un « ordre » bien déterminé. Aussi faut-il qu'au long du parcours romanesque, d'autres personnages se chargent de proclamer cette noblesse cachée : ce sont successivement : la sœur du curé, Mme de Miran, Valville Mme Dorsin, le Ministre, c'est à dire des personnages de plus en plus élevés dans la hiérarchie sociale ; ainsi s'opère un crescendo. On notera que la publicité, elle aussi, est de plus en plus grande. La sœur du curé ne peut affirmer la bonne naissance de Marianne qu'à un cercle extrêmement étroit ; Mme de Miran, et surtout Mme Dorsin dans ses repas mondains ont déjà plus d'audience. En attendant la reconnaissance finale que nous ne pourrons jamais lire, le ministre apporte une sorte de confirmation officielle aux suppositions de Mme de Miran : « il est probable (...) que la jeune enfant a de la naissance » (p. 331). Son propos final est néanmoins ambigu : « La noblesse de vos parents est incertaine, mais celle de votre cœur est incontestable, et je la préférerais, s'il fallait opter » (p. 337). Propos digne d'un ministre Philosophe, mais qui n'est guère dangereux : Marianne vient de promettre qu'elle n'épousera pas Valville. Pourtant le lecteur sait bien que Marianne est noble et que son mariage a eu lieu probablement avant la reconnaissance, puisque celle-ci se situe quinze ans avant qu'elle commence son récit, et qu'il est peu vraisemblable que Marianne ait attendu cet âge pour se marier.

Le large éventail des classes sociales dans lesquelles Marivaux a choisi ses personnages laisse apparaître, à presque tous les niveaux, l'importance capitale de l'argent. Car si la naissance de Marianne pose une énigme fondamentale, dans la vie quotidienne, et surtout jusqu'à sa quasi-adoption par Mme de Miran, c'est l'argent qui est le problème numéro un. Marianne n'a pas de parents, donc elle n'a pas d'argent. Vite la sœur du curé et Marianne vont se trouver en manquer, quand elles seront à Paris. Envoyer de l'argent aux voyageuses, c'est le dernier acte qu'accomplit le curé mourant (p. 18). Marianne prend conscience du tragique de sa situation : « je ne suis la fille ni la parente de qui que ce soit (...) L'argent que j'ai ne me durera pas longtemps » (p. 24-25). Pire que l'indigence, Marianne va connaître l'humiliation : « les bienfaits des hommes sont accompagnés d'une maladresse si humiliante pour les personnes qui les reçoivent ! » (p. 29) : thème qui va être abondamment exploité par Marivaux dans tout le récit de l'adolescence de Marianne[15].

Autour de Marianne, on se plaint fort des difficultés de la vie. Mme Dutour se désole si elle voit s'éloigner l'argent de M. de Climal : « Le temps est mauvais, on ne vend rien, les loyers sont chers, et c'est tout ce qu'on peut faire que de vivre et d'attraper le jour de l'an ; encore faut-il bien tirer pour y aller » (p. 125). Les couvents connaissent aussi des difficultés matérielles. On sera tenté de juger que la prieure les exagère pour convaincre Marianne d'aller ailleurs ; néanmoins elle présente un état financier de son couvent assez précis : « notre maison n'est pas riche ; nous ne subsistons que par nos pensionnaires, dont le nombre est fort diminué depuis quelque temps. Aussi sommes-nous endettées, et si mal à notre aise, que j'eus l'autre jour le chagrin de refuser une jeune fille, un fort bon sujet, qui se présentait pour être converse, parce que nous n'en recevons plus, quelque besoin que nous en ayons, et que, nous apportant peu, elles nous seraient à charge » (p. 153) .

Les classes plus élevées de la société sont, elles aussi, dominées par des questions d'argent ; mais, évidemment, cela prend une autre forme. Il faut noter d'abord que n'importe quel individu de l'aristocratie peut connaître de graves difficultés matérielles, dès qu'il s'est trouvé exclu du groupe social auquel il appartenait : et l'histoire de Tervire en offre deux exemples particulièrement dramatiques, celui de Dursan qui arrive presque mendiant au château de sa grand'mère, cherchant à vendre quelque bijou. Celui, surtout, de la mère de Tervire, qui risque d'être chassée de l'hôtel où elle se trouve, faute de pouvoir payer. La mésalliance, qui joue un rôle si important, nous l'avons vu, dans ce roman, a des incidences économiques qui sont bien senties par les personnages. Les mariages interdits par les parents, ce ne sont pas seulement ceux qui auraient lieu avec des roturières, mais tout aussi bien avec des membres de la noblesse désargentés — tel est le cas de Mlle de Tresle, « vous n'avez point assez de bien pour vous char-

15. Cf. p. 112 : « la nécessité est une chose affreuse ». P. 116 : « il faut de l'argent pour devenir maîtresse ». Voir aussi p. 118, 123, 185, 195. L'argent humilie (cf. p. 35).

ger d'une femme qui n'en a point », dit le grand-père de Tervire à son fils, propos qu'il confirme quand il rencontre Mme de Tresle, la mère : « le bruit court que Tervire est marié avec votre cadette (...) je n'en serais pas fâché si j'étais plus riche ; mais ce que je puis lui laisser ne suffirait plus pour soutenir son nom » (p. 432-33).

Il est un thème qui revient de façon obsédante dans le roman, c'est celui du testament, étroitement lié à la progression du récit, puisqu'il explique, la déchéance de certains personnages, puisqu'il laisse prévoir l'ascension sociale de Marianne ou de Tervire, avec des hauts et des bas. Marianne va se trouver bénéficier d'un don de M. de Climal. Son repentir, sa confession publique ne suffisent pas : il laisse à Marianne douze cents livres de rente, à charge à son neveu Valville, principal héritier et légataire, de s'en acquitter (p. 250). A partir de là, Marianne peut vivre indépendante, et il sera fait rappel de cette dotation, comme d'une garantie, quand son destin semble menacé, et que l'amour de Valville l'abandonne. Le destin de Tervire est encore plus lié à un certain nombre de testaments : d'abord celui de son grand'père : il meurt avant d'avoir eu le temps de réviser le testament par lequel il réduisait son fils à la « légitime », c'est à dire au minimum dont un père ne pouvait priver ses enfants. Son oncle sera riche ; son père, et donc elle-même, fort pauvres. La grand'mère, en mourant, fait don d'un diamant à Tervire, ce qui lui vaut l'animosité de ses tantes, particulièrement âpres au moment du partage. Mme Dursan allait rendre Tervire riche : elle avait déshérité son fils et fait de Tervire son héritière : mais voici que ce fils réapparaît. Tervire se doit de travailler à le réconcilier avec sa mère. Sur son lit de mort, Mme Dursan révise son testament par lequel elle laissait « tout son bien » à Tervire. Le second testament contient une clause assez étrange : Mme Dursan « y rétablissait son petit-fils dans tous les droits que son père avait perdus par son mariage ; mais elle ne le rétablissait en entier qu'à condition qu'il m'épouserait, et qu'au cas qu'il en épousât une autre, ou que le mariage ne me convînt pas à moi-même, il serait obligé de me donner le tiers de tous les biens qu'elle laissait, de quelque nature qu'ils fussent » (p. 532). En attendant le mariage, une pension doit être versée et l'on ne tarde pas à voir qu'elle le sera de fort mauvaise grâce. Quand s'interrompt l'histoire de Tervire, comme celle de Marianne, les héroïnes sont sorties de leur misère initiale, sans avoir encore atteint un grand degré d'aisance ; on peut supposer que la suite de leurs existences aura confirmé à la fois une ascension sociale et financière ; en tout cas, Marianne, narratrice est marquise et plus riche qu'elle n'était lors de ses aventures ; quant, à Tervire, devenue religieuse, elle aurait en partie échappé aux contingences matérielles. Mais il n'en reste pas moins que pendant toute leur histoire, Marianne et Tervire n'ont pas été de ces héroïnes précieuses pour qui seuls comptent les sentiments et les passions. Elles sont bien enracinées dans une réalité, parfois dure, où l'argent fait la loi.

II LE NOM, LE VÊTEMENT, LE CORPS.

Le personnage romanesque se trouve donc déterminé à la fois par sa foncion par rapport aux autres personnages (opposant, adjuvant ; mère, fils, etc.) mais aussi par un certain nombre de facteurs différentiels (âge, classe) qui peuvent faire référence à un univers extra-romanesque : la vie sociale et économique du XVIIIe siècle ; et par conséquent son origine, sa situation financière sont notés avec suffisamment de rigueur pour créer cette illusion de réalité, qui, dans l'esthétique de la mimésis, est un élément essentiel de la qualité artistique de l'œuvre. Encore faut-il, pour qu'il ait une existence romanesque, que le personnage soit présent, à la fois par un nom et par un ensemble de gestes et de notations qui lui donnent un corps.

Le nom est le signe de l'accession à l'être. Or un nom n'est pas donné à tous les personnages. Ceux qui sont relativement secondaires, il semble que Marivaux néglige de les nommer : ainsi la sœur du curé qui n'est désignée que par ce lien de parenté, comme, plus tard, le ministre n'est désigné que par sa fonction. Marivaux recourt aussi au procédé facile des points de suspension : « Monsieur, continua Mme de Miran en adressant la parole au ministre, c'était Mme de... que je venais voir » (p. 326) : il s'agit de la parente qui a organisé l'enlèvement de Marianne, elle ne mérite pas d'avoir un nom. Il semble que Marivaux répugne à nommer les personnages et ne s'y résolve que par nécessité ; « cette marchande, il faut que je vous la nomme pour la facilité de l'histoire. Elle s'appelait Mme Dutour » (p. 31). Le procédé est trop fréquent dans *La Vie de Marianne* pour pouvoir passer inaperçu. Le personnage est présenté d'abord ; il agit ; et c'est seulement ensuite que le romancier le nomme, souvent en recourant à une parenthèse qui établit une identification entre le personnage que nous avons vu d'abord évoluer et le nom qui lui est maintenant donné : « M. de Climal (c'était ainsi que s'appelait celui qui m'avait mis (*sic*) chez Mme Dutour) revint trois ou quatre jours après m'avoir laissée là » (p. 34). Mme Dorsin est déjà en train de parler et de s'apitoyer sur le sort de Marianne lorsqu'un nom lui est donné : « Y a-t-il rien dans la physionomie de mademoiselle qui pronostique les infortunes qu'elle a essuyées ? dit Mme Dorsin (c'était le nom de la dame en question) » (p. 172). On retrouve le même procédé pour des personnages d'importance capitale. Valville a fait transporter Marianne chez lui, après l'accident et les deux jeunes gens semblent déjà fort amoureux lorsque enfin nous apprenons le nom de Valville : « Enfin on me porta chez Valville, c'était le nom du jeune homme en question, qui fit ouvrir une salle où l'on me mit sur un lit de repos » (p. 67).

On pourrait donner plusieurs explications à ce véritable tic. Faut-il y voir une certaine difficulté de Marivaux à trouver les noms de ses personnages ? Emporté par son élan, il commencerait à les faire vivre et agir avant de les nommer ? J'y verrais plutôt un effet d'art, une façon d'intriguer le lecteur, tout en se conformant à l'imitation de la vie, puisque on peut voir des êtres avant de savoir leur nom. C'est un peu le procédé qui consiste à commencer le film avant le générique. Mais quand il s'agit de *La Vie de Marianne* on pourrait invoquer une troisième raison à cette dénomination retardée qui nous ramènerait au sujet même du roman, puisque Marianne n'a pas de nom et qu'elle n'en aura un qu'à la fin de la narration, s'il avait été donné au romancier d'aller jusque-là, après la scène de reconnaissance. Marivaux s'est plu à étendre l'impression de mystère, puisque la narratrice qui, elle, désormais connaît son nom n'est désignée que par trois points. Le titre même inscrit ce mystère sur le nom : « *La Vie de Marianne, ou les aventures de Madame la comtesse de*... » Certes le procédé n'est pas unique, loin de là, dans la littérature romanesque de l'époque, on pourrait citer Duclos, un peu plus tard : *Les Confessions du comte de*..., et tant d'autres. Mais ici la question du nom est un point névralgique. Nous ignorons les prénoms des nobles personnages que nous voyons évoluer. Marianne, elle, n'a qu'un prénom, ce qui suffit à indiquer le mystère de sa naissance — en cela elle diffère de Tervire, toujours désignée par son nom de famille. Toute la première scène avec Valville repose sur ce malaise du nom : Marianne refuse de dire un nom qu'elle ignore : le sien. Ne pas le dire pourtant, c'est risquer de rompre à jamais : « vous et vos parents me serez éternellement inconnus, à moins que vous ne me disiez votre nom » (p. 78).

Le prénom de Marianne[16] a pu être soufflé à Marivaux par une histoire réelle[17], par la vie même[18], mais il a une valeur symbolique : Marianne, c'est un diminutif de Marie, le prénom de fille le plus fréquent, le plus commun, c'est le nom de tout le monde et de n'importe qui : c'est une forme de désignation qui ne sort pas de l'anonymat. Et, dans tout l'épisode de l'accident du pied, l'héroïne est sensible au décalage qui existe entre d'une part son prénom, sa situation sociale, et, d'autre part, sa physionomie, et l'amour de Valville : « C'est que j'ai si peu l'air d'une Marianne, c'est que mes grâces (...) le préoccupent tant en ma faveur » (p. 82).

Avouer son nom, c'est se désigner par rapport à un certain ordre social : « Et la voilà enfin déclarée, cette Mme Dutour si terrible, et sa boutique et son enseigne (car tout cela était compris dans son nom) » (p. 82). Et jusqu'à son aspect physique, à sa rondeur, à sa lourdeur. De même le nom de « Villot » désigne forcément un vilain, qu'il s'agisse du rustique prétendant à la main de Marianne présenté comme odieux, ou du fermier de Tervire, fort sympathique, mais ancré dans sa roture. L'onomastique des personnages nobles correspond bien aux habitudes romanesques du temps. On aime les terminaisons en -ille et en -an ; Valville et Mme de Miran (qui s'appelle d'abord Mme de Valville). Ce sont des sonorités qui semblent nobles et douces, avec peut-être une allusion au caractère citadin de Valville, au caractère admirable de Mme de Miran. Il y a du mal dans le nom de Climal, et une certaine dureté dans celui de Dursan (dureté de la malédiction grand-maternelle, peut-être aussi dureté du jeune homme, et en tout cas de sa mère), une douceur hypocrite dans Mme de Sainte-Hermières.

Dans ce roman au féminin, on aurait pu s'attendre à ce que le vêtement tienne une place importante[19]. En fait — et H. Coulet

16. Nous n'ignorons pas, bien entendu, le poids d'une tradition littéraire qui a pu jouer également dans le choix du nom, cf. F. Demoris, *Le roman à la première personne, du classicisme aux Lumières*, Colin, 1975. La religieuse portugaise s'appelle Marianne.

17. Cf. J. Laffon, « La Vie de Marianne Pajot. A real life source of Marivaux's héroïne ». *M.L.N.*, may 1968, (p. 588-609).

18. Cf. *infra*, p. 161.

19. « Du côté de la vanité, je menaçais déjà d'être furieusement femme. Un ruban de bon goût, ou un habit galant, quand j'en rencontrais, m'arrêtait tout court, je n'étais plus de sang-froid » (p. 49).

l'a déjà remarqué — Marivaux fait un usage extrêmement sobre des notations de vêtements, et jamais elles ne sont gratuites, superflues ; elles sont toujours très étroitement liées à un système de signification. S'il est vrai qu'il y a un langage de la mode, comme l'a bien montré Roland Barthes, ce langage est présent dans le roman, mais d'une façon d'autant plus efficace que limitée. Le vêtement joue un rôle fort important dès les premières pages puisqu'il fonctionne comme signe de reconnaissance. C'est la qualité du vêtement qui crée un lien entre la mère et la fille : « Si l'une des deux était ma mère, il y avait plus d'apparence que c'était la jeune et la mieux mise, parce qu'on prétend que je lui ressemblais un peu (...) et que j'étais vêtue d'une manière trop distinguée pour n'être que la fille d'une femme de chambre » (p. 11). Doublant la ressemblance physique, le vêtement affirme l'appartenance à une classe et, dans cette hypothèse, la filiation supposée. Mais Marivaux ne perd pas son temps à décrire minutieusement ces vêtements qui pourtant, dans les classiques scènes de reconnaissance, eussent pu avoir un rôle capital. Preuve peut-être encore qu'il n'était guère décidé à écrire cette scène trop attendue.

Pour cette enfant orpheline, le vêtement va vite devenir le symbole du don. Dans le village c'était à qui « me donnerait l'habit le plus galant » (p. 13). Chaque bienfaiteur lui fait don d'une garderobe : mais précisément il y a don et don : les vêtements donnés par M. de Climal sont le signe de la dépendance et de la dégradation morale. Le premier acte d'énergie de Marianne qui ne veut pas devenir une Manon, c'est de rendre ces vêtements à M. de Climal — non sans regret. Et parce que cette complaisance pour le vêtement permet de marquer toutes les nuances de la tentation ; ici, le lecteur aura droit à quelques précisions. Une gradation est marquée. La première chose que propose M. de Climal, avant même que le carrosse soit arrivé chez Mme Dutour, c'est l'achat de gants : « Je veux vous en acheter, me dit-il ; cela conserve les mains, et quand on les a belles, il faut y prendre garde » (p. 31). La couleur, la substance de ces gants, peu importe, nous saurons seulement qu'il y en a « plusieurs paires ». Puis vient l'achat de l'habit. « L'habit fut acheté : je l'avais choisi ; il était noble et modeste, et tel qu'il aurait pu convenir à une fille de condition qui n'aurait pas eu de bien » (p. 38). C'est l'achat du linge qui confirme les inquiétudes de Marianne : « Oh ! pour le coup, ce fut ce beau linge qu'il voulut que je prisse qui me mit au fait de ses sentiments » (p. 39).

Quand tout sera prêt, Marivaux se plaira à montrer Marianne se parant : « Je me mis donc vite à me coiffer et à m'habiller pour jouir de ma parure ; il me prenait des palpitations en songeant combien j'allais être jolie » (p. 50). Mais c'est la psychologie de la femme qui choisit la couleur d'un ruban, non pas cette couleur du ruban qui intéresse Marivaux. Ainsi parée, Marianne va aller à l'église. En faisant mine d'arranger sa coiffe, qui pourtant est fort bien mise, Marianne attirera les regards de Valville (p. 63).

Cette coiffe devient le symbole de la vêture toute entière ; elle joue un grand rôle dans la scène de la rupture avec M. de Climal, rôle ambigu d'ailleurs, puisque c'est le propre du vêtement romanesque de parer par sa présence, mais davantage encore par son absence : « je détachais mes épingles, et (...) je me décoiffais, parce que la cornette que je portais venait de lui, de façon qu'en un moment elle fut ôtée, et que je restai nu-tête avec ces beaux cheveux dont je vous ai parlé, et qui me descendaient jusqu'à la ceinture » (p. 123-124). La valeur métonymique de la coiffe est sensible à M. de Climal comme au lecteur. Marivaux décrit longuement les regrets de Marianne lorsqu'elle se décide à rendre tous les vêtements donnés par Climal et à les lui renvoyer. Il ne manque pas de noter les ruses par lesquelles elle retarde ce moment fatal (p. 133). Mais la vertu est récompensée — du moins chez Marivaux, non chez Sade — puisque Mme de Miran, sans manquer aux règles de la bienfaisance, va se charger de refaire une garde-robe à Marianne : « Deux ou trois jours après que je fus chez ces religieuses, ma bienfaitrice m'y fit habiller comme si j'avais été sa fille, et m'y pourvut, sur ce pied-là, de toutes les hardes qui m'étaient nécessaires » (p. 160). Ces vêtements n'ont pas la même connotation trouble et tragique : aussi en est-il beaucoup moins parlé. Et des vêtements de Marianne, il ne sera plus guère question[20], sinon dans l'épisode de sa maladie, lorsqu'elle va faire sa première sortie, en négligé, tandis que Mlle Varthon, est fort parée. Or l'absence de parure finalement sert fort bien la jeune malade qui l'emporte sur sa rivale.

Dans l'histoire de Tervire, le vêtement n'est pas sans importance non plus, et étroitement lié à la question de la reconnaissance maternelle. C'est parce que Tervire ne porte pas le vêtement qu'elle devrait, que Mme de Tresle fait des reproches à sa fille : « Au linge que je portais, à ma chaussure, au reste de mes vêtements délabrés

20. Voir pourtant les remarques sur le linge, p. 191.

et peut-être changés, il était difficile de me reconnaître pour la fille de la marquise » (p. 438). Mais, avec un parallélisme sensible, il sera difficile à Tervire de reconnaître sa mère sous les vêtements de voyage qu'elle porte lorsqu'elle demande une place dans la voiture qui la mène à Paris.

Ce qui frappe néanmoins, c'est à quel point Marivaux évite la description proprement dite. Pas de couleur, à peine les formes. Il suffit d'un nom désignant une partie du vêtement pour que le lecteur qui participe de la même culture, et du même univers, opère un travail de représentation. L'écriture romanesque n'a que faire du dessin de modes qui existe parallèlement, au XVIIIe siècle comme de nos jours. Néanmoins, dans le roman, comme dans la description de modes, le caractère fondamental du vêtement apparaît très nettement : grâce au langage, il prend tout son sens : « le vêtement, pour signifier, peut-il se passer d'une parole qui le décrive, le commente ? ».[21] Ainsi se constitue un « véritable système de sens », qui utilise un « vêtement fragmentaire », ce qui relève du caractère discontinu du langage[22]. Le lecteur de roman connaît ce code, et par conséquence saisit facilement le message que le romancier lui transmet. Le roman, à moins qu'il ne soit libertin, se contente de parler de « linge » d'une façon générale. Néanmoins, le linge a déjà une connotation d'intimité suspecte, d'où les réactions de Marianne. Le mot « habit » va donc couvrir la totalité du vêtement, d'une façon plus digne. La coiffe et la chaussure reprennent si l'on peut dire, une individualité, sans trop risquer d'être équivoques. Encore faut-il évidemment distinguer s'il s'agit de mettre ou d'enlever le vêtement. Le mettre, dans le contexte de *La Vie de Marianne*, ne va pas sans quelque coquetterie de l'ajustement ; mais l'enlever c'est montrer le corps dont les extrêmités, par un glissement métonymique, suggèrent la totalité. M. de Climal ne peut manquer d'être troublé par l'arrachage de la coiffe, comme Valville l'est par le déchaussement : car, lors de l'accident, il ne suffit pas d'enlever le soulier. Une femme de chambre vient déchausser Marianne « pendant que Valville et le chirurgien se retirèrent un peu à quartier » (p. 68).

L'analyse du vêtement débouche forcément sur l'étude du

21. Cf. R. Barthes, *Système de la mode*, Seuil, 1967, p. 9.

22. Voir, p. 25.

corps [23]. On notera chez Marivaux, comme chez tous les romanciers de son siècle, un certain nombre de caractéristiques ; le corps n'est pas représenté dans sa totalité — et pas plus d'ailleurs dans le roman libertin — mais il est toujours, et tout autant que le vêtement, fragmenté. S'il arrive qu'un adjectif désigne la totalité comme étant belle ou ne l'étant pas, la silhouette comme étant mince ou épaisse, dès qu'il s'agit d'une évocation plus précise, le corps se ramène alors à quelques éléments, à peu près toujours les mêmes et qui deviennent signifiants par rapport à un code romanesque assez rigoureux : le visage — à partir de la gorge, le roman devient libertin — se limite le plus souvent aux yeux, parfois aux joues ; les cheveux ont une grande place ; pour le reste, la main qui peut suggérer l'existence du bras, et le pied qui ne doit pas suggérer l'existence de la jambe. Voilà à peu près le code que Marivaux a à sa disposition, et dont il va faire le meilleur usage : code-limite certes, mais tout l'art consiste justement à savoir tirer le plus grand parti d'un ensemble de signifiants assez restreint.

Qu'on n'aille pas en conclure à une relative indifférence pour le corps ; rien ne serait plus faux. Le corps est au contraire le premier système de signifiant que saisit le personnage de roman (comme l'homme « réel »). Après la mort de la sœur du curé, Marianne trouve la physionomie de son hôte terrifiante, et celle de sa femme et des domestiques, également. Il suffit de ces physionomies, pour bâtir tout un roman : « tous ces visages-là me faisaient frémir, je n'y pouvais tenir ; je voyais des épées, des poignards, des assassinats, des vols, des insultes ; mon sang se glaçait aux périls que je me figurais » (p. 26). Il suffit de voir certain personnage, pour savoir qu'il va avoir un rôle funeste : ainsi de la visite que reçoit Marianne dans son couvent : « une grande femme maigre et menue, dont le visage étroit et long lui donnait une mine froide et sèche, avec de grands bras extrêmement plats, au bout desquels étaient deux mains pâles et décharnées, dont les doigts ne finissaient point » (p. 288). Auprès du ministre, on retrouve cette « parente longue et maigre » avec « un ton aigre » et « revêche » (p. 326). Chez Marivaux, comme chez Sade, les méchants se reconnaissent facilement, et leur aspect physique est décrit avec plus de précision[24].

23. Voir Hendrik Kars, *Le portrait chez Marivaux*, Étude d'un type de segment textuel, Amsterdam, éd. Rodopi, 1981.

24. CF. p. 254-255, par exemple.

De Mme de Miran nous connaissons surtout la physionomie ; nous savons aussi qu'elle avait été « belle femme » et qu'elle a cinquante ans. « Quand on a l'air si bon, on en paraît moins belle » (p. 167) et nous ne savons pas grand-chose finalement de son allure générale. D'ailleurs les personnages secondaires sont décrits plus précisément que les personnages de premier rôle, et cela n'est pas aussi étonnant qu'il peut paraître. En effet, le personnage secondaire, faisant une apparition relativement rapide, il faut que le lecteur puisse saisir vite à qui il a affaire ; tandis qu'il a tout le roman pour comprendre le caractère des personnages fondamentaux : et cela nous ramène toujours à la valeur sémiotique du corps : le corps est supposé être le signifiant de l'âme.

Un certain embonpoint est le signe d'une vie tranquille, et Marivaux l'attribue à ses personnages ecclésiastiques. Le père Saint-Vincent a « un visage doux et sérieux, où l'on voyait un air de mortification qui empêchait qu'on ne remarquât son embonpoint » (p. 27). A propos des religieuses, Marivaux développera davantage cette idée, et fera une véritable — et malicieuse — théorie de la graisse : « cet embonpoint religieux [n'a] pas la forme du nôtre, qui a l'air plus profane ; aussi grossit-il moins un visage qu'il ne le rend grave et décent ; aussi donne-t-il à la physionomie non pas un air joyeux, mais tranquille et content » (p. 149). Certes, nous sommes loin de la vulgarité, assez sympathique de Mme Dutour, bonne grosse réjouie, et qui travaille pour gagner son pain !

Une fois donnée la silhouette, le détail des traits physiques est passé très rapidement. A ce propos, deux réflexions qui accompagnent le portrait de Mme Dorsin sont bien caractéristiques : « jamais aucune visage de femme n'a tant mérité que le sien qu'on se servît de ce terme de physionomie pour le définir et pour exprimer tout ce qu'on en pensait en bien. Ce que je dis là signifie un mélange avantageux de mille choses dont je ne tenterai pas le détail ». Le corps vidé en quelque sorte de sa corporéité, il va falloir inversement recourir à la personnification de l'abstraction : « Personnifions la beauté, et supposons qu'elle s'ennuie d'être si sérieusement belle (...) c'est à Mme Dorsin à qui elle voudra ressembler ». Vient aussi la référence picturale qui, en quelque sorte, justifie les limites du portrait, lui supposent un cadre : « je ne parle ici que du visage tel que vous l'auriez pu voir dans un tableau de Mme Dorsin » (p. 214). Suivent ensuite quelques considérations sur les rapports de l'âme et des « organes » qui restent abstraits comme dans un traité de métaphysique. L'acception du mot « visage » semble d'ailleurs s'étendre à toute une manière d'être « on plaît avec un joli visage, on inspire ou de l'amour ou des désirs » (p. 69-70) conclut Marianne, lors de son accident et du tête-à-tête avec Valville.

Mais les traits de ces visages ? Marianne, bébé, avait « de la douceur et de la gaieté, le geste fin, l'esprit vif avec un visage qui promettait une belle physionomie ; et ce qu'il promettait, il l'a tenu » (p. 15). Le visage de Marianne est de tous celui qui a le plus de réalité, car le temps s'y inscrit ; le visage d'autrefois est comparé à celui d'aujourd'hui : « J'ai eu un petit minois qui ne m'a pas mal coûté de folies, quoiqu'il ne paraisse guère les avoir méritées à la mine qu'il fait aujourd'hui : aussi il me fait pitié quand je le regarde, et je ne le regarde que par hasard » (p. 51). La chevelure, elle, a moins souffert du temps ; et c'est grâce à cette perspective temporelle que nous apprenons la couleur des cheveux de Marianne — avec une grande précision : « Dans ce temps, on se coiffait en cheveux, et jamais créature ne les a eu plus beaux que moi ; cinquante ans que j'ai n'en ont fait que diminuer la quantité, sans en avoir changé la couleur, qui est encore du plus clair châtain » (p. 36). Ce thème du vieillissement de la femme, et en quelque sorte de la rencontre entre ses deux visages à vingt ou trente ans de distance, semble avoir été fondamental chez Marivaux. Déjà dans un texte paru dans le *Spectateur* (feuilles 17, 18, 19), *Mémoires d'une dame*[25], il raconte le long et cruel vieillissement d'une femme, avec une sorte de précision clinique qui contraste avec le vague qu'ont d'habitude les notations physiques chez ce romancier[26].

L'œil n'est ni bleu, ni brun : il est essentiellement un regard. Même s'il s'agit d'un regard indirect, pourrait-on dire : « il y avait dans cette église des tableaux qui étaient à une certaine hauteur : eh bien ! j'y portais ma vue, sous prétexte de les regarder, parce que cette industrie-là me faisait le plus bel œil du monde » (p. 62). Jeu de regards dans l'église, car si Marianne fait mine de regarder les tableaux, elle « fixe les yeux de tous les hommes » (p. 60), et, par le même coup, des femmes : ce phénomène de convergence est observé par le romancier. Les regards sont plus libres que les paro-

25. *Romans*, Pléiade, p. 900-901.

26. Cf. p. 108, la laideur et la vieillesse de M. de Climal.

les, frappées d'interdits moraux ou mondains extrêmement sévères. Aussi le regard est-il toujours révélateur du non-dit. Marianne voit dans les yeux de M. de Climal « quelque chose de si ardent, que ce fut un coup de lumière » (p. 37). Entre Valville et Marianne, tout un jeu de regards s'instaure tandis que la parole est encore interdite : « il n'en jetait pas un sur moi qui ne signifiât : *Je vous aime* ; et moi, je ne savais que faire des miens, parce qu'ils lui en auraient dit autant » (p. 67).

Peut-être un lecteur moderne trouvera-t-il que l'on pleure vraiment trop souvent dans *La Vie de Marianne*. Il faut se souvenir que l'on pleurait beaucoup plus dans les romans, et peut-être dans la réalité, au XVIIIe siècle que de nos jours. D'autre part, les larmes sont un moyen de scander le récit romanesque, d'indiquer ses moments les plus pathétiques ; il y a toute une sémiotique des larmes, avec une gradation entre les « pleurs » plus nobles, plus silencieux, et les « sanglots » qui marquent une sorte de superlatif. Les larmes suffisent à indiquer une communion des âmes. Ainsi déjà entre Marianne et la sœur du curé : « je pleurai et elle pleura, car c'était la meilleure personne que j'aie jamais connue » (p. 16). Même avec la Dutour, les moments de sympathie sont signifiés par les larmes : « il ne me resta plus que des pleurs, jamais on n'en a tant versé ; et la bonne femme, voyant cela, se mit à pleurer aussi du meilleur de son cœur » (p. 46). La sympathie de Mme de Miran s'exprime aussi par les pleurs que suscite le récit de Marianne.

Les pleurs sont évidemment liés à une situation particulièrement dramatique : « Où irai-je, lui disais-je en fondant en larmes » (p. 24). Elles tiennent lieu de parole « je n'étais plus en état de parler (...) je pleurais, la tête baissée (...) Oui, j'avais les yeux remplis de larmes » (p.78). Elles tiennent lieu de prière quand Marianne se réfugie dans la chapelle du couvent (p. 145). Les pleurs sont même annoncées comme synonyme de l'événement dramatique à venir : « je touche à la catastrophes qui me menace, et demain je verserai bien des larmes » (p. 262) annonce Marianne alors qu'elle est fêtée chez Mme de Fare[27].

Les pleurs sont l'accompagnement indispensable de toute révélation de quelque importance. Ainsi, lors du discours que tient Marianne devant le Ministre : « à travers les larmes que je versais,

27. Voir p.135 les intéressantes remarques sur « l'heure des larmes », et p. 147, le rapport larmes/féminité.

j'aperçus plusieurs personnes de la compagnie qui détournaient la tête pour s'essuyer les yeux » (p. 335). Les pleurs préparent la révélation, lorsqu'elle est encore informulée : l'émotion vient avant les mots dont l'effet est supposé terrible. Quand Marianne va expliquer à Mme de Miran qu'elle est précisément la jeune fille que son fils a rencontrée : « Ici mes pleurs coulèrent avec tant d'abondance que je restai quelque temps sans pouvoir prononcer un mot » (p. 179). Et là encore les larmes sont communicatives : Mme de Miran et Mme Dorsin ne cachent pas leur émotion. Les révélations de Mlle Varthon provoquent un « torrent de larmes » chez Marianne (p. 367). « Pendant qu'elle me parlait ainsi, elle ne s'apercevait point que son récit me tuait ; elle n'entendait ni mes soupirs, ni mes sanglots ; elle pleurait trop elle-même pour y faire attention ; et tout cruel qu'était ce récit, mon cœur s'y attachait pourtant, et ne pouvait renoncer au déchirement qu'il me causait » (p. 369). Nous sommes loin de la communication qu'établissaient les larmes dans les exemples précédents : le fait même que chacune est absorbée par ses larmes est bien le signe de l'impossibilité pour les rivales d'une véritable communion d'esprit et de cœur.

Tervire est à la fois moins prolixe en larmes et en discours que Marianne : cela provient peut-être simplement du resserrement du rythme du récit. Mais la dramatisation des scènes qui caractérise cet épisode, entraîne des flots de larmes chez les autres personnages. Si la rencontre de M. de Tervire et de son père est d'une grande sobriété (il « vint se jeter à ses genoux, les larmes aux yeux, et sans pouvoir prononcer un mot » (p. 435)), tous se mettent à pleurer quand Mme Dursan reconnaît son fils (p. 528). L'absence de larmes est si exceptionnelle qu'elle est considérée comme étant de mauvais augure : « Dieu est le maître, continua-t-elle tout de suite sans verser une larme, et avec une sorte de tranquillité qui m'effraya, que je trouvai funeste, et qui ne pouvait venir que d'un excès de consternation et de douleur » (p. 530).

Les larmes acquièrent dans ce roman les caractéristiques d'un signe purifié en quelque sorte de toute attache corporelle : il est beaucoup question de larmes, mais très peu d'yeux qui pleurent, et les larmes n'appartiennent pas au domaine de la description physique ; elles sont du registre du bouleversement moral, psychologique. Leur abondance contribue peut-être aussi à leur donner ce caractère abstrait. Finalement le lecteur ressent : « elle pleura », comme synonyme de « elle fut bouleversée », il ne *voit* pas les larmes, à moins qu'elles ne soient accompagnées d'autres manifestations corporelles, et en particulier de toute une gestuelle qui semble fort importante dans *La Vie de Marianne*. Cette gestuelle indique essentiellement des mouvements, et n'a pas besoin d'une description précise du corps. Parmi ces mouvements, l'un des plus fréquents et des plus démonstratifs, c'est de se jeter à genoux, qu'il s'agisse de l'agenouillement amoureux de Climal et de Valville, ou de l'agenouillement reconnaissant de Marianne devant Mme de Miran. Mais les indications de gestes peuvent ne pas avoir ce caractère dramatique ; elles peuvent être nécessaires pour camper un tableau. Ainsi de ces personnages à l'église : « Je les voyais tantôt se baisser, s'appuyer, se redresser ; puis sourire, puis saluer à droite et à gauche, moins par politesse ou par devoir que pour varier les airs de bonne mine et d'importance, et se montrer sous les aspects différents » (p. 59). La querelle avec le cocher n'est pas seulement un échange de paroles acerbes ; elle est aussi faite de gestes : « Tout ceci ne se disait pas sans tâcher d'arracher le bâton des mains du cocher qui le tenait, et qui, à la grimace et au geste que je lui vis faire, me parut prêt à traiter Mme Dutour comme un homme » (p. 97).

Les tabeaux pathétiques l'emportent de beaucoup néanmoins, et surtout à mesure que progresse le texte. F. Deloffre en a bien souligné la présence dans l'épisode de Tervire (cf. *Vie de Marianne*, p. 510, n. I). L'esthétique évolue en direction de Diderot et de Greuze. Il n'en reste pas moins que certains tableaux ne vont pas sans quelque encombrement : « Je tendais en même temps une main au père, qui se jeta dessus, aussi bien que son fils (...) A la fin, la mère, qui était jusque-là restée dans mes bras, se releva tout à fait et me laissa libre » (p. 510).

Quand les gestes sont autre chose qu'un simple mouvement, quand la présence d'un corps y est sensible, c'est presque toujours la main qui se trouve décrite. Certes, le pied joue un rôle capital dans toute la scène avec Valville et son symbolisme amoureux est bien évident. Il n'y a pas là un fétichisme du pied comparable à celui que l'on trouve dans les romans de Rétif de la Bretonne ; néanmoins le pied dans l'univers romanesque du XVIIIe siècle a une connotation érotique incontestable. Peut-être ici son effet est-il d'autant plus remarquable que la scène est unique dans ce roman.

Ce qui donne de la réalité au geste dans *La Vie de Marianne*, c'est la main. Il suffit qu'elle tremble pour que toute une scène prenne une présence incontestable[28] : ainsi quand Climal a été surpris et « tout palpitant encore et d'une main tremblante, ramenait son manteau sur ses épaules » (p. 121). La main est importante, autant que les larmes dans toutes les scènes de reconnaissance où habituellement un personnage baise la main de la mère ou de son substitut en la couvrant de larmes. Dursan « là-dessus fit un soupir ; et comme elle appuyait son bras sur le lit, il porta la main sur la sienne ; il la lui prit, et dans la surprise où elle était de ce qu'il faisait, il eut le temps de l'approcher de sa bouche, d'y coller ses lèvres, en mêlant aux baisers qu'il y imprimait quelques sanglots à demi étouffés par sa faiblesse et par la peine qu'il avait à respirer » (p. 527). C'est grâce à ces croquis de mains que les scènes de reconnaissance deviennent des déclarations d'amour. Dans la plupart des dialogues entre Mme de Miran et Marianne, les baisers sur la main ponctuent le pathétique des discours. De même dans les derniers entretiens de Marianne et de la sœur du curé expirante, où l'on trouve aussi le bras : « je lui tenais le bras que je baisai mille fois, voilà tout. » C'est la pression de la main qui signifie la vie ou la mort : « Elle ne fit que me serrer la main très légèrement, et elle avait le visage d'une personne expirante » (p. 21).

Marianne a la main belle et Marivaux confesse peut-être ses goûts lorsqu'il note : « il y a une infinité d'hommes plus touchés de cette beauté-là que d'un visage aimable (...) C'est que ce n'est point une nudité qu'un visage, quelque aimable qu'il soit ; nos yeux ne l'entendent pas ainsi : mais une belle main commence à en devenir une » (p. 63). M. de Climal ne manque pas de baiser à maintes reprises la main de Marianne. Mais c'est surtout avec Valville que la main prend toute sa signification. Le dialogue est ponctué par ces notations, peut-être plus parlantes que les paroles : « il reprit ma main qu'il baisa » (p. 72) ; « la main me tremblait dans celle de Valville » (p. 73) ; ma main « qu'il baisait encore en me demandant pardon de l'avoir baisée » (p. 75). L'inachèvement du roman valorise davantage encore ces scènes. L'amour en reste au baisement de main ; et la possession de la main devient figure de la possession toute entière. Jamais la définition de la métonymie ne fut plus adéquate : prendre la partie pour le tout...

La présence du corps dans le roman se traduit par l'évocation d'états de souffrance ou de maladie. Car la souffrance morale s'ins-

28. Voir p. 160 le tremblement de la main du pseudo-laquais.

crit dans les mêmes termes que la souffrance physique. Les cris de douleur sont terribles et fréquents dans *La Vie de Marianne*. « Mes gémissements firent retentir la maison, ils réveillaient tout le monde » (p. 23). Le souvenir même de la souffrance entraîne chez la narratrice des troubles physiques : « Je frissonne encore en me ressouvenant » (p. 18). La maladie et la mort ponctuent les épisodes essentiels du roman. Quatre morts, en particulier : celle de la sœur du curé, celle de Climal, celle du fils de Mme Dursan et celle de Mme Dursan elle-même. F. Deloffre note à ce sujet : « le côté physique de la douleur, de la maladie et de la mort n'est jamais souligné » (p. LII). Certes, là n'est pas l'essentiel pour le romancier ; néanmoins les notations physiques ne sont pas absentes, en particulier dans la mort de Climal : mais curieusement, c'est avant que Marianne le voie, lorsqu'elle imagine l'état où il est que la description se fait plus précise ; elle sait qu'elle va le trouver dans un « état hideux et décrépit » (p. 244). La limitation du champ romanesque qu'impose le point de vue de la jeune spectatrice, exclut une description physique plus poussée lorsqu'elle le voit : « tout le corps me frémit ; j'approchai pourtant, les yeux baissés ; je n'osais les lever sur le mourant : je n'aurais su, ce me semble, comment m'y prendre pour le regarder » (p. 245). Le romancier ne peut décrire des corps que ce que Marianne en voit.

La maladie joue aussi un rôle important ; l'amour naissait d'une blessure au pied. Quatre maladies vont avoir une place capitale dans le récit : d'abord, celles, parallèles, de Marianne et de Mlle Varthon. Celle-ci reconnaît à quel point cette maladie lui a été favorable : « Si j'avais été en bonne santé, il n'aurait pas pris garde à moi » (p. 378), dit-elle à propos de Valville. La maladie de Marianne, au contraire, va être le moment où Valville se détache d'elle et son indifférence dans cette situation sera ressentie comme particulièrement scandaleuse. Les signes cliniques de cette maladie sont précisés : « fièvre » qui baisse seulement au cinquième jour, donc est « quarte », « transport au cerveau », « je ne reconnus plus personne » ; « je restai à peu près dans le même état quatre jours entiers, pendant lesquels je ne sus ni où j'étais, ni qui me parlait » (p. 358). Dans l'histoire de Tervire, plusieurs maladies également : celle de Dursan le conduit à la mort. La maladie de la mère de Tervire la laissera paralysée (p. 569), mais elle aura permis la reconnaissance de la mère et de la fille. La maladie dans la mesure où elle perturbe fondamentalement la vie du corps et de l'âme est le lieu privilégié de la révélation. La blessure au pied, la maladie de Mlle Varthon, puis celle de Marianne révèlent le cœur changeant de Valville et ses amours ou ses désaffections. La maladie de Dursan lui permet de retrouver sa mère, comme la maladie de la mère de Tervire lui permet de retrouver sa fille.

C'est qu'à l'origine du récit, tout le drame avait commencé de cette blessure d'où coulait le sang de la mère : « un côté du visage de cette dame morte était sur le mien, et elle m'avait baignée de son sang. Ils repoussèrent cette dame, et toute sanglante me retirèrent de dessous elle » (p. 11). Certes, on pourrait voir là un trait de style du roman tragique et une trace de ce romanesque qui n'est pas absent de *La Vie de Marianne*. Néanmoins ce sang — le seul qui soit présent dans le roman — prend, me semble-t-il, une signification plus profonde. L'épisode devient une représentation fantasmatique de la naissance, d'une naissance qui causerait la mort de la mère. Paradoxalement, le corps le plus présent dans ce roman est celui d'une morte qui ne figure jamais en tant que personnage, mais dont la présence est fondamentale. Tandis que de tous les autres personnages coulent des larmes, un peu faciles parfois, de la mère, coule le sang, le sang de la vie et de la mort, le sang qui inscrit la réalité de la chair, le sang de la féminité dont la tache rouge s'inscrit à l'ouverture de cet opéra pour voix de femmes.

V

LIEUX ET ESPACE

La problématique des lieux dans le roman semble finalement plus complexe que celle des personnages. Comment représenter les lieux où ils évoluent ? Le romancier va se trouver devant un nouveau dilemme : ou bien il recourt à la description systématique qui risque d'être sentie comme superflue par le lecteur ; ou bien, il se contente de quelques notations de décors, fort schématiques et qui ne suffisent pas à donner l'illusion de la réalité. Les notations d'espace sont éprouvées par le lecteur tantôt comme inutiles par rapport au récit, tantôt au contraire comme nécessaires, sans qu'il soit toujours possible de bien savoir où se situe la limite, qui d'ailleurs varie considérablement d'un lecteur à un autre, et surtout d'une époque à une autre. Nul doute, par exemple, que si Marivaux avait écrit à la fin du XVIIIe siècle, il eût dû faire une place infiniment plus vaste à l'évocation de la nature ; Marianne eût exprimé sa mélancolie en fuyant à la campagne. Mais rien de tel : Rousseau n'a pas encore écrit. Et Marivaux qui pourtant n'est guère pressé dans sa narration, et qui eût pu aussi bien décrire un paysage que se livrer à des digressions morales (cela n'eût pas plus retardé le récit), s'abstient de toute description approfondie. Il se contente, en homme de théâtre, d'indications de décors ; encore ces indications sont-elles si sobres qu'elles nous font souvent penser davantage à l'austérité des décors classiques ou modernes, qu'à la somptuosité de l'opéra à machines.

Avant même que commence le récit de Marianne plusieurs sites sont évoqués. Et d'abord cette « maison de campagne à quelques lieues de Rennes » (p. 7) où le manuscrit est retrouvé. S'il n'y a pas de description, il y a néanmoins une précision des notations (localisation de la maison, de l'armoire « dans l'enfoncement du mur ») qui contraste avec le vague absolu où se situe la narratrice. Nous ne savons où elle est, sinon qu'elle est retirée du monde, ce qui la situerait plutôt à la campagne ; mais nous ne savons pas non plus où se trouve la narrataire, et par conséquent nous avons peine à imaginer la distance qui les sépare. L'absence de précision temporelle est corrélative de l'imprécision de l'identité ; car si Marianne sait depuis quinze ans qui elle est, le lecteur, lui, ne doit pas le savoir (p. 8 : « nous ne savons qui elle était ») ; or savoir d'où elle écrit, ce serait un début d'identification. Le lieu de l'écriture reste donc enveloppé du même mystère que le lieu de la naissance ; peut-être parce qu'il y a entre la naissance et l'écriture une anologie profonde, obscurément ressentie de tout temps. Au contraire, le lieu d'où parle Tervire est précisément situé, greffé sur l'histoire de Marianne : c'est le couvent où la jeune Marianne s'est réfugiée dès le premier jour et dont nous aurons à parler amplement. Et là le contraste est encore souligné. Les arrêts de Marianne, retirée du monde et libre d'elle-même, ne sont imputables qu'à une nécessité intérieure : fatigue, etc. Au contraire, les arrêts de Tervire sont dus à l'influence des lieux ; le rythme de la vie conventuelle ne lui laisse que les soirées de libres (p. 493 : « c'est toujours mon amie religieuse qui parle, et qui est revenue le soir dans ma chambre où je l'attendais[1] »). Narratrice et narrataire au second degré, réunies dans le même lieu, assez exigu (la chambre d'une pensionnaire) sont alors bien situées. C'est la puissance des lieux qui met fin définitivement au récit de Tervire, et du même coup à *La Vie de Marianne* : « Une cloche, qui appelait alors mon amie la religieuse à ses exercices, l'empêcha d'achever cette histoire », (p. 579).

Les deux récits ont ce point de commun, outre le couvent, d'être un itinéraire de la campagne à la ville : itinéraire de la plupart des romans d'ascension sociale, quoique, comme nous avons eu l'occasion de le dire, *La Vie de Marianne*, à la différence du *Paysan parvenu*, ne saurait, sans arbitraire, se classer dans cette catégorie. La perte de la mère, dans les deux histoires et la première adoption se situent à la campagne ; mais l'arrivée à Paris se fait très vite dans l'histoire de Marianne et beaucoup plus tard dans celle de Tervire ; aussi est-il légitime de considérer qu'il y a

1. Voir aussi même notation p. 539.

un savant contraste entre l'histoire rustique de Tervire, et l'histoire citadine de Marianne.

La localisation de l'accident qui coûte la vie aux parents de Marianne n'est pas nette : la voiture « allait à Bordeaux », pour que le lecteur puisse croire qu'il y aura une « reconnaissance », il faut lui donner quelques indices, sans eux pas d'enquête policière possible. Mais le chanoine qui s'enfuit est de Sens. On s'est interrogé sur cette précision (cf. F. Deloffre, *op cit.*, p. 10, n. 2). Il était nécessaire de le situer aussi loin que possible de Bordeaux, pour brouiller les pistes et qu'il ne puisse fournir aucune indication. C'est la fuite du valet qui fait naître un certain espace autour de l'accident : il « s'enfuit blessé à travers les champs, et alla tomber de faiblesse à l'entrée d'un village voisin » (p. 11). Est-ce ce même village où Marianne va être conduite (« ils voient de loin un petit village », p. 12) ? En tout cas le lecteur ignorera toujours le nom de ce village ; nous en connaîtrons mieux les habitants que la situation et l'aspect. La brièveté du voyage pour Paris peut seule faire supposer que le village n'en est guère éloigné[2]. Marianne ne semble pas regretter la campagne ; elle n'y retourne que deux fois, encore s'agit-il de cette campagne fort civilisée qui est celle des châteaux : Mme de Fare l'emmène pour quelques jours ; la distance de Paris est comme gommée, par la rapidité, en quelque sorte magique, des voyages ; aussitôt partis, aussitôt arrivés : « Nous voici arrivés ; je vis une très belle maison ; nous nous y promenâmes beaucoup » (p. 261). Nous ne savons pas grand'chose du paysage, sinon qu'il y a un bois : Mlle de Fare et Marianne s'amusent à lancer à Valville des feuilles qu'elles arrachent au bosquet. C'est à peu près tout ce que l'on peut retenir de la campagne dans l'histoire de Marianne, et c'est vraiment peu[3].

La campagne dans l'histoire de Tervire joue un rôle beaucoup plus important, puisque celle-ci ne la quitte que tard. Son grand-père était « un de ces gentilshommes de province qui vivent à la campagne et n'ont jamais quitté leur château » (p. 430). Il va dîner « chez un gentilhomme de ses amis qui l'avait invité, et qui ne demeurait qu'à deux lieues de son château » (p. 433). Mais nous

2. Cf. F. Deloffre, *op. cit.*, p. 17 n. 1.

3. Les rares scènes qui se situent à l'extérieur n'apportent guère d'éléments descriptifs. « Le repas fini, il faisait beau, et on fut se promener sur la terrasse du jardin » (p. 401). Marivaux laisse le soin à l'illustrateur, comme à un metteur en scène, d'imaginer le décor.

ne savons pas dans quelle région de la France se situe ce château, pas plus que nous n'avons su où se trouve la cure de Marianne : le voyage vers Paris qu'effectuera Tervire sera plus long, semble-t-il. C'est finalement par rapport à Paris que se placent ces lieux campagnards, dans une France déjà fort centralisée. Le château de Tervire, comme celui de Tresle restent par ailleurs tout à fait indéterminés. Tervire parle de « ce petit coin de campagne » où elle était « comme enterrée » (p. 442). La campagne devient vite un exil pour la petite fille qui désirerait rejoindre sa mère à Paris (« elle allait prendre des arrangements pour me faire venir à Paris » p. 451). « Il y avait alors à un petit demi-quart de lieue de notre bourg un château où j'allais assez souvent » (p. 452). La campagne n'est finalement qu'un espace vague ponctué par des châteaux et des bourgs qui lui assurent une dimension, puisque toutes les distances ne sont jamais notées que d'une habitation à une autre, entre lesquelles la nature elle-même n'est pas représentée.

On revient au château de Tervire, avec l'épisode de Mme Dursan, puisqu'elle achète ce même château ; mais, alors que sa localisation demeure toujours aussi imprécise, Marivaux donne au contraire beaucoup de coordonnées pour des personnages très secondaires : l'oncle cadet qui retourne en Bourgogne, la famille de la femme de Dursan qui habite Saint-Malo (p. 484). L'épisode de Dursan se passe en partie autour du château, tant que le fils ne peut y entrer ; aussi cette situation développe-t-elle la présence d'une « terrasse du jardin » (p. 504), d'un terrain bon pour la chasse (p. 501), d'un bois où ont lieu les rencontres de Tervire et des Dursan ; mais cela ne suffit pas à faire naître un paysage.

Le voyage de Tervire à Paris est suffisamment long pour laisser supposer un certain espace ; mais ce qui intéresse Marivaux, c'est un espace psychologique : une certaine durée qui permet à Tervire de faire connaissance avec cette femme qui se révèlera être sa mère. Seules les étapes sont évoquées : les paysages qui pourraient s'apercevoir entre temps sont escamotés ; c'est comme si le carrosse avait toujours les rideaux tirés. La « buvette » où l'on fait boire les chevaux a permis à l'étrangère de demander une place dans la voiture. S'il y a dans l'hostellerie un jardin qui paraît « joli » et un « petit bois », c'est pour que les deux femmes puissent se rencontrer (p. 542-543). Le bois n'est pas un lieu pittoresque et sauvage ; il est un lieu écarté, propice donc aux rencontres un peu mystérieuses qui préludent aux reconnaissances. Le voyage est ponctué de notations de distance par rapport à Paris : « deux lieues », puis « une lieue », enfin un « demi-quart de lieue » (p. 546). On imagine difficilement un voyage qui permette si peu de voir la nature.

Paris, au contraire, possède une présence qui est évoquée à plusieurs reprises par l'écrivain. Marianne traverse la capitale avant de parvenir chez le parent où elle doit se rendre avec la sœur du curé : « Je ne saurais vous dire ce que je sentis en voyant cette grande ville, et son fracas, et son peuple et ses rues. C'était pour moi l'empire de la lune : je n'étais plus à moi, je ne me ressouvenais plus de rien ; j'allais, j'ouvrais les yeux, j'étais étonnée, et voilà tout » (p. 17). Il faut assez peu de temps à Marianne pour passer de cette fascination à la prise de conscience de l'angoisse et de la solitude : « Plus je voyais de monde et de mouvement dans cette prodigieuse ville de Paris, plus j'y trouvais de silence et de solitude pour moi : une forêt, m'aurait paru moins déserte, je m'y serais sentie moins seule, moins égarée. De cette forêt, j'aurais pu m'en tirer ; mais comment sortir du désert où je me trouvais ? Tout l'univers en était un pour moi, puisque je n'y tenais par aucun lien à personne » (p. 134). Il est notable que l'évocation de forêt la plus saisissante dans ce roman se trouve justement ici par le biais de la métaphore et pour représenter Paris : cette forêt est beaucoup plus présente que les « petits bois » que nous avons rencontrés dans l'histoire de Tervire. Le Paris de Tervire n'a ni ce charme ni cette horreur : c'est uniquement le lieu d'une recherche de la mère, d'une recherche qui fait courir du Marais au faubourg Saint-Honoré, sans que l'individualité de chaque quartier soit très marquée. Marianne, au contraire, s'était attachée au quartier qui était à la fois celui de la Dutour et de Valville ; en le quittant, elle quitte « une espèce de patrie » (p. 158). L'espace parisien de Marianne apparaît comme un espace heureux, en définitive[4] — comme celui du *Paysan parvenu* — car elle aime traverser la ville, et elle s'y retrouve fort bien dès la première fois (p. 17), ou lorsqu'elle doit faire le court chemin de la Dutour à l'église, qu'elle fait seule, embarrassée de sa contenance, mais non du chemin à suivre (p. 52). Plus surprenante l'aisance avec laquelle elle retourne chercher ses vêtements chez la

4. Voir A. Deney, « Structures de l'imaginaire urbain dans les romans de Marivaux », *Cahiers de Fontenay*, 1983, et A.-M. Arnaud, « *La Vie de Marianne* et *Le Paysan parvenu* : itinéraire féminin, itinéraire masculin à travers Paris », *R.H.L.F.*, mai-juin 1982. J. Ehrard, « Marivaux romancier de Paris », *Französische Literatur,* Frankfurt, 1983.

Dutour : « me voilà en chemin : j'ai dit à la Dutour que c'était à un couvent que je me rendais. Comment s'appelle-t-il, je l'ignore aussi bien que le nom de la rue ; mais je sais mon chemin, le crocheteur me suit » (p. 159). Il peut lui arriver d'éprouver de l'angoisse dans la rue, parce que sa situation lui apparaît comme misérable (ainsi quand elle va revoir le Père Saint-Vincent), jamais pourtant elle ne se perd. La seule fois où elle ignore son chemin, c'est qu'elle est victime de violence, lors de son enlèvement : « Vous vous ressouviendrez bien que je savais le chemin de chez cette lingère à mon couvent, puisque c'était de chez elle que j'étais partie pour m'y rendre avec mes hardes que j'y fis porter, et je ne voyais aucune de ces rues que j'avais traversées alors » (p. 292).

Tervire ne se perd pas non plus à Paris, mais elle n'y a guère de mérite puisqu'elle se promène toujours en carrosse. Elle y éprouve néanmoins le sentiment d'une désorientation qui vient du fait qu'elle ne trouve pas qui elle cherche, et qu'elle se heurte à porte close. Les courses de Tervire reproduisent celles plus tragiques encore de sa mère devenue misérable : « Elle était toute seule, et même assez fatiguée », « sans équipage », ce qui scandalise Tervire (p. 549). Et, du fait que Tervire n'aime pas Paris comme Marianne l'aime, la ville est beaucoup moins vivante dans cet épisode que dans celui de la vie de Marianne proprement dite.

En définitive l'opposition ville/campagne est un axe de fonctionnement du roman. Mais les paysages campargnards ne sont pas décrits, et la campagne se ramène au château et au bourg, tandis que les rues de la ville ont une présence beaucoup plus grande. Cette opposition ville/campagne n'est pas chargée du contenu idéologique qu'elle prendra plus tard : on n'est ni plus ni moins vertueux à la campagne qu'à la ville, et même si la vie chez le curé figure une sorte de paradis premier, Marianne ne regrette pas le bonheur à la campagne, du moins dans la partie de son existence que nous connaissons : il aura probablement fallu tout un itinéraire pour que la citadine Marianne se retire (comme pour que Tervire, ennemie de la vie conventuelle, se fasse nonne). Délestée de tout poids idéologique, l'opposition ville/campagne fonctionne surtout comme une utilité thématique et rythmique. Elle introduit une variété, dans les épisodes. Elle explique la psychologie des personnages, la fascination de Marianne, une certaine gaucherie de la provinciale Tervire.

Sur cet axe, se développe une thématique des lieux qui est beaucoup plus complexe. On retrouve le long du chemin romanesque, un certain nombre d'étapes qui ont leur signification nettement marquée : auberge, appartements, boutique, châteaux, couvent. La plupart des scènes se situent à l'intérieur. Le personnage n'affronte l'extérieur que pour aller d'un lieu à un autre. C'est peut-être encore une forme du fantasme maternel dans ce roman, que cette prédominance du Dedans sur le Dehors. S'il est agréable de traverser les rues de Paris, c'est à condition d'avoir un gîte vers lequel on se dirige : « Que ces gens-là sont heureux ! disais-je ; chacun d'eux a sa place et son asile. La nuit viendra, et ils ne seront plus ici, ils seront retirés chez eux ; et moi, je ne sais où aller, on ne m'attend nulle part, personne ne s'apercevra que je lui manque ; je n'ai du moins plus de retraite que pour aujourd'hui, et je n'en aurai plus demain » (p. 135). Mais tous les lieux ne se valent pas, bien entendu. Finalement, on pourrait tenter un classement dans leur grande diversité : il y a les lieux-refuges et les lieux de passage. Dans la première catégorie : les chambres, les appartements, les couvents ; dans la seconde, les auberges, les boutiques, mais aussi les salons, le cabinet du ministre. Le lieu-refuge permet de se retrouver, d'échapper aux dangers ; mais il peut lui-même se refermer totalement et devenir prison : tel est bien le cas du couvent. Pour les lieux où l'on ne fait que passer, leur signification est aussi multiple : ils peuvent être l'occasion d'un échange commercial, quand il s'agit de l'auberge et de la boutique ; ils peuvent être l'occasion d'une révélation officielle, d'une sorte de publicité : quand Marianne fait son entrée dans le monde, mais aussi quand elle se révèle vraiment grande devant le ministre, ou lorsque Tervire dévoile dans le salon de sa belle-sœur l'abandon de leur mère.

Mais le drame provient de ce qu'un lieu peut changer de sens et passer d'une catégorie à une autre. Tel est, en particulier, le cas de la maison de Mme Dutour, conçue d'abord comme un refuge, substitut du foyer maternel, et qui devient un lieu de commerce, où l'on ne se contente pas de blanchir du linge mais où M. de Climal serait fort heureux d'acheter Marianne. Telle est, à un moindre degré, le cas de l'auberge. Ce devrait être un refuge, et là aussi un substitut temporaire du foyer ; mais l'hospitalité y est échangée contre de l'argent. Et voilà qui gâte tout. Les hôteliers dans *La Vie de Marianne* ne sont guère accueillants. On y fait sentir durement au client qu'il doit payer, et sans tarder, qu'il s'agisse de Marianne, lors de son arrivée à Paris, ou de la mère de Tervire, à la fin du roman. *La Vie de Marianne* se commence et se termine sur cette évocation d'une auberge hostile, figure de la fausse mère vénale. L'auberge est un lieu commun, si l'on risque ce jeu de mot, de la littérature romanesque, en particulier picaresque : qu'on se souvienne des auberges de *Gil Blas*, et plus tard de celles de *Jacques le Fataliste* ; il est de tradition qu'il s'y passe quelque chose de cocasse ou de pathétique. Ici, les épsiodes d'auberge sont uniquement dramatiques, et étroitement liés au thème central de la quête de la mère, puisque c'est dans une auberge que Marianne perd sa première mère adoptive, la sœur du curé, et dans une auberge que Tervire reconnaît sa vraie mère. Mais dans le deuxième cas, comme dans le premier, le contexte est tragique, la mère de Tervire est très malade. Pour cette raison, nous ne voyons pas les parties communes des auberges où pourraient se produire joyeuses rencontres et bons repas. L'auberge se ramène à la chambre : « l'hôte et l'hôtesse, se doutant de la vérité, se levèrent et vinrent frapper à la porte de notre chambre ; je l'ouvris sans savoir que je l'ouvrais (...) on me porta dans la chambre voisine sans que je le sentisse » (p. 23). Tumulte anonyme des domestiques, vol, abandon, tel est le bilan de ce passage dans l'auberge. A l'autre bout du roman, celle où nous retrouvons la mère de Tervire n'est guère plus hospitalière. Son architecture nous est un peu plus connue ; il y a une salle où l'aubergiste crie pour obtenir le départ de sa clientèle infortunée (p. 537). La chambre elle-même est située le plus mal possible : « Il n'y avait qu'un petit escalier à monter, et c'était au premier, sur le derrière » (p. 561). Dès que la porte de la chambre a été ouverte, toute l'attention se fixe sur la malade, et les lieux ne sont pas décrits davantage. Mais lorsque Tervire ira sermonner sa belle-sœur, elle évoquera à nouveau l'auberge « misérable » et la chambre « obscure » (p. 579). Elle apporte même des précisions dont le lecteur ne bénéficie pas. « Cette auberge, madame, est dans tel quartier, dans telle rue, et à telle enseigne » (p. 579)[5].

La boutique de la Dutour est beaucoup mieux décrite et située. C'est qu'il est essentiel, par exemple, que la salle où Climal et Marianne se rencontrent communique avec la boutique et qu'ainsi Valville puisse les surprendre. A vrai dire — étant donnée la place que tiennent les discours dans ce roman — chaque lieu se subdivise immédiatement en un certain nombre de « parloirs » pour

5. Cette difficulté à nommer le lieu (qui peut-être un refus volontaire du romancier) est à rapprocher de la difficulté à nommer les personnages que nous avons signalée plus haut.

reprendre ce terme emprunté à l'architecture des couvents et sur lequel nous reviendrons. La chambre que Marianne partage avec Toinon est le lieu de leur bavardage ; ce n'est qu'« une petite chambre où je mis mes hardes, et où je devais coucher avec une compagne » (p. 31). Il y a encore cette « petite salle » où la Dutour s'enferme avec Marianne (p. 46) et où elles pleurent toutes deux. L'espace ne se développe qu'à la faveur des gestes des personnages. Ainsi c'est la dispute de Mme Dutour qui fait naître le « comptoir » derrière lequel elle va chercher son aune. La violence du cocher, la projette dans « l'arrière boutique » (p. 97). De même les hésitations de Marianne à renoncer à ses vêtements de luxe donnent à la pièce où elle prépare le paquet destiné à être rendu à Climal (et qui ne peut être que la « petite chambre ») un certain espace, mais parce que cet espace double, en fait, un espace qui, lui, est psychologique et infiniment plus grand. La vieille robe est « accrochée à la tapisserie ». « Je me levai donc pour l'aller prendre ; et dans le trajet qui n'était que de deux pas, ce cœur si fier s'amollit » (p. 132). Si un siège se présente alors, c'est pour permettre à Marianne de s'y effrondrer et d'y soupirer à son aise.

Le lieu qui domine, et de beaucoup, dans *La Vie de Marianne* c'est le couvent. Un surtout, où Marianne se réfugie après avoir quitté la Dutour. Mais il y aura aussi le couvent où elle sera transportée après son enlèvement. Elle retourne ensuite à son premier couvent où Tervire commence son récit. L'histoire de Tervire comporte aussi un épisode conventuel. Pourquoi avoir privilégié à tel point ce lieu ? Il faut d'abord invoquer la réalité sociale de l'époque : la femme passe beaucoup de temps au couvent, son enfance et sa jeunesse d'abord ; elle aime y revenir ensuite pour des visites, comme le fait Mme de Miran, mais comme le fera aussi George Sand, encore au début du XIXe siècle ! Si la femme ensuite est veuve, sans homme pour une raison ou pour une autre, ses séjours au couvent pourront devenir beaucoup plus fréquents. Enfin elle aura tendance à préférer se faire religieuse, quand elle ne trouve pas d'autre lieu pour vivre — sans compter les vocations forcées que rendra célèbres le roman de Diderot.

Le personnage de la religieuse est intéressant, témoins Diderot et Sade, et « la Religieuse portugaise » un siècle plus tôt. Mme de Clèves décide de terminer ses jours dans un couvent. Le thème de la religieuse séduite se prêtait particulièrement au romanesque : on en voit d'ailleurs une amorce dans *La Vie de Marianne*, puisque l'amie de Tervire est sur le point de céder aux manœuvres d'un jeune Tartuffe. Sa réaction vertueuse et énergique supprime les développements dont d'autres romanciers ne se seraient pas privés. Notons à ce propos que l'écrivain refuse toutes les facilités dont abusera le roman libertin. Les couvents ne sont certes pas peuplés de saintes, et Marivaux dénonce le goût du confort et une certaine lâcheté ; mais ils ne sont pas des mauvais lieux. On n'y voit peut-être pas un zèle excessif ; pas de débauche non plus.

Le couvent semble être pour l'auteur à la fois le lieu de la parole (le « parloir »), et du refermement, de la clôture, symbole à la fois de prison et d'intimité. Le couvent est le lieu rêvé de la parole, parce que le temps n'y coule pas au même rythme qu'ailleurs, et que la confidence peut y être pratiquement infinie. Les entretiens de Mme de Miran et de Marianne sont extrêmement longs, certes, et beaucoup plus long encore ce récit que Tervire fait à Marianne et qui, à lui seul, occupe les trois dernières parties du roman. Les couvents de Marivaux n'ont pas cette architecture tragique de ceux de Diderot ou de Stendhal ; il n'y a ni souterrains, ni *in pace*, mais il semble y avoir une grande quantité de parloirs[6]. « Voici la tourière de retour ; j'oublie pourtant une circonstance, c'est qu'avant qu'elle rentrât dans le parloir, une autre fille de la maison vint avertir la dame qu'on souhaitait lui dire un mot dans le parloir voisin » (p. 156). Le parloir, c'est là où peut s'établir un rapport entre le dedans et le dehors, entre l'espace clos du couvent et les visites de l'extérieur. Au début de chaque entretien, la localisation dans le parloir est presque toujours rappelée : « Bonjour, ma fille, me dit Mme de Miran en entrant dans le parloir » (p. 172). On citerait de nombreux exemples : « La cérémonie finie, Mme de Miran me demanda, et vint au parloir avant que de partir » (p. 204). C'est aussi au parloir que la religieuse amoureuse du neuvième livre, chargée de dire que son amie est retenue au lit, va profiter de cette occassion pour prier Tervire de rendre la lettre d'amour à son auteur, et la dissuader d'être jamais religieuse.

Il est un autre lieu de la parole, plus secret ; la chambre où les religieuses peuvent se rendre visite l'une à l'autre. Là, c'est la parole du dedans. Ainsi Tervire et Marianne ne vont bien évidemment pas s'installer dans le parloir pour converser : celui-ci est réservé aux visites des étrangers. Tervire vient dans la chambre de

6. L'escalier est évoqué pour mener au parloir (p. 148).

Marianne : « Je ne parlai ce soir-là qu'à ma religieuse, que je priai de venir le lendemain matin dans ma chambre » (p. 425). Au début de la onzième partie : « Nous nous retrouvâmes sur le soir dans ma chambre, ma religieuse et moi » (p. 539). Parole de l'intimité, secret de femmes, récit dans le secret.

Le parloir au contraire permet les visites d'homme. Et Valville ne s'en prive pas. Il s'introduit dans le parloir, une première fois, déguisé en valet, pour remettre un billet (p. 160-161). Mais bientôt les entrevues seront plus franches : « Me voilà dans le parloir où je trouvais Valville » (p. 192). Ses entrevues ne seraient pas impensables si Marianne avait prononcé ses vœux : « je serai religieuse ; mais ce sera à Paris, et nous nous verrons quelquefois » (p. 198). A vrai dire, les entrevues passionnées dans les parloirs sont une tradition romanesque. Et Marivaux en avait déjà usé, dans les *Lettres contenant une aventure* (*Mercure*, 1719, in *Romans,* Pléïade, 1949, p. 800)[7] : une dame vient au couvent avec son fils qui en profite pour glisser un billet. L'ombre de la religieuse portugaise est là, et Marivaux dans ce texte même du *Mercure* y renvoie explicitement (cf. *ibid*. p. 818 : « il y a six mois que je vous prêtai les *Lettres portugaises* »).

Lieu de l'échange et de la parole, le parloir n'est, bien évidemment pas le lieu de la liberté. La parole peut certes s'y exprimer tout à loisir, plus libre, en un sens, que dans le monde, où elle risque toujours d'être interrompue ; mais elle demeure soumise à une sorte de surveillance. L'abbesse doit autoriser les visites qui s'y déroulent, et c'est ainsi que Valville explique à Marianne qu'il a dû recourir d'abord au déguisement (p. 190). Mais surtout, le parloir est symboliquement et matériellement divisé en deux par la clôture qui assure la séparation radicale du dedans et du dehors. Cette grille est aussi présente dans l'église, bien entendu, et renforcée par un rideau. Il faut des circonstances exceptionnelles pour que le rideau soit tiré : « Vous savez qu'en de pareilles fêtes les religieuses paraissent à découvert, et qu'on tire le rideau de leur grille ; observez aussi que je me mettais ordinairement fort près de cette grille » (p. 202). Dans les moments les plus pathétiques de la conversation, la présence de la grille dans le parloir se trouve rappelée par le romancier : « Là, je m'arrêtai, hors d'état d'en dire davantage à cause de mes larmes ; je m'étais jetée à genoux, et j'avais

7. Voir à ce sujet M.-J. Durry, *A propos de Marivaux*, S.E.D.E.S., 1960.

passé une moitié de ma main par la grille pour avoir celle de Mme de Miran, qui en effet approcha la sienne ; et Valville, éperdu de joie et comme hors de lui, se jeta sur nos deux mains, qu'il baisait alternativement » (p. 206). Il est bien évident que cette main prend beaucoup plus de charme à être ainsi saisie à travers une grille[8], et que Marivaux a su donner à son héroïne une séduction ambiguë : elle connaît à la fois la clôture de la religieuse, mais la liberté de la jeune fille du monde, puisqu'elle peut sortir.

Et le couvent, lui aussi, possède un caractère double ; il est à la fois lieu d'asile ; il peut devenir prison. C'est bien d'abord comme un abri et un refuge qu'apparaît le couvent pour Marianne qui ne sait plus où aller ; une église d'un couvent de filles est ouverte : « moitié par un sentiment de religion qui me vint en ce moment, moitié dans la pensée d'aller soupirer à mon aise, et de cacher mes larmes qui fixaient sur moi l'attention des passants, j'entrai dans cette église, où il n'y avait personne, et où je me mis à genoux dans un confessionnal » (p. 145). Rien d'étonnant si la suite de cette aventure est précisément la rencontre d'une mère adoptive, Mme de Miran : l'église, et à l'intérieur de l'église le confessionnal, encore plus étroit, plus sombre, plus intime, étaient déjà un refuge maternel. La grâce que demande ensuite Marianne à la supérieure, c'est « de vouloir bien [la] recevoir chez elle » (p. 150). Dans ce premier couvent, Marianne sera choyée, bien soignée lors de sa maladie ; elle trouve un réconfort moral auprès d'une religieuse qui tâche de la consoler, lors de l'infidèlité de Valville et à qui elle confesse : « il est bien doux d'être entre vos mains » (p. 384) ; une sœur converse apporte à souper et se réjouit des progrès de sa santé, lui propose de faire un tour dans le jardin (p. 384-385).

Pourtant deux couvents apparaissent dans *La Vie de Marianne* sous un angle plus sombre : ils sont des prisons. D'abord le couvent où elle est conduite au moment de son enlèvement. La porte se referme avec rapidité, brutalité : « Et aussitôt j'entends refermer la porte par laquelle nous étions entrés, et le carrosse s'arrête au milieu de la cour » (p. 292). Alors on ouvre la porte de la clôture (p. 293) qui va se refermer sur Marianne. Le couvent est une sorte de Bastille : on ne manque pas de faire savoir à Marianne que ce procédé est plus doux qu'une lettre de cachet mais qu'il

8. Voir aussi p. 173.

revient au même. Nous sommes pourtant loin des couvents-prisons de Sade. Il y règne la décence et la gentillesse. Certes la sœur qui reste auprès de Marianne à réciter son chapelet, est une sorte de geôlière, mais fort douce, et qui interrompt ses patenôtres pour gémir avec sa victime. La supérieure ne fait qu'exécuter des ordres, et avec le plus de douceur possible. Seule la privation de la liberté — et c'est évidemment l'essentiel — apparente ce couvent à une prison ; et Marianne avoue : « je m'y trouverais fort bien si j'y étais venue de mon plein gré » (p. 297). Elle y est nourrie avec beaucoup d'égards — et c'est une des rares fois où nous savons son menu : « il fut décidé que je prendrais du moins un potage, qu'on alla chercher, et qu'on apporta avec un petit dîner de communauté ; et pour dessert, du fruit d'assez bonne mine » (p. 294). L'architecture intérieure n'est pas sans charme non plus : « vous n'avez pas vu notre jardin ; il est fort beau (...) Nous avons les plus belles allées du monde » (p. 296). Véritablement Marivaux ne parvient pas à donner dans le genre « noir » qui d'ailleurs ne prendra son essor que plus tard dans le siècle. Le couvent de l'histoire de Tervire serait plus terrible, et les confidences de la religieuse amoureuse sont particulièrement bouleversantes. Mais si elle se trouve dans une prison, et si elle ressent tragiquement son absence de liberté, le point de vue qui est adopté dans le récit empêche que ce couvent soit vu véritablement de l'intérieur. Tervire lui rend visite dans le parloir. Là aussi le couvent ne devient une prison qu'en vertu des dispositions intérieures du personnage, non à cause d'une architecture ou de contraintes extérieures. Les sentiments sont tout pour Marivaux et les lieux sont charmants ou sinistres suivant la façon dont on y vit. Aussi les détails de la description sont-ils réduits au minimum.

En contraste avec ces lieux de retraite, plus ou moins forcée que sont les couvents, apparaissent aussi dans le roman des lieux qui permettent une publicité. Ainsi s'oppose l'ombre et la lumière. A la retraite du couvent répond le bruit du salon ou du bureau d'un ministre ; et le contraste fait mieux ressortir la valeur propre de chaque registre. Marianne quitte son premier couvent pour aller dans le salon de Mme de Miran, ou dans celui de Mme Dorsin ; elle quitte son couvent-prison pour aller devant le ministre. Tervire quitte sa compagne religieuse pour retrouver le salon de Mme de Sainte-Hermières ; elle quitte la chambre modeste de sa mère pour aller faire honte à sa belle-sœur en pleine réception.

Avant que Marianne entre chez le ministre, tout un espace préparatoire est évoqué : « Nous traversâmes de longs appartements, et nous arrivâmes dans une salle où se tenait une troupe de valets » (p. 313). Antichambre, attente. Néanmoins, Marianne est vite à l'aise dans cet espace qui pourtant devrait la gêner. La voici devant le ministre : « Je fus d'abord un peu étourdie de tout cet appareil, mais cela se passa bien vite » (p. 317). Du coup, le lecteur se trouve privé d'éléments descriptifs qui ne sont plus indispensables. De même chez la belle-sœur de Tervire, ce qui importe n'est évidemment pas le mobilier, mais la présence d'un public : « Il y avait chez elle une assez nombreuse compagnie qui devait apparemment y dîner » (p. 574). Pendant tout le discours de Tervire, cette présence d'un public est sensible. Et son discours ne prend toute sa force que par cet auditoire qui gêne sa belle-sœur : « Il est vrai que ceux que j'avais pour témoins étaient ses amis ; mais je jugeais que leur attention curieuse et maligne les disposait favorablement pour moi » (p. 576) « Aussi les vis-je tous lever les mains, et donner par différents gestes des marques de surprise et d'émotion » (p. 579). Finalement la différence des lieux est surtout marquée non pas par une évocation topographique détaillée mais par une situation différente de la parole. *La Vie de Marianne* est un roman de la parole presque ininterrompue ; mais la parole n'est pas la même dans l'intimité de la chambre et du parloir, ou dans la publicité du salon. Ce sont les regards des autres qui créent un certain espace romanesque, c'est leur écoute qui crée un écho autour du personnage principal.

Il manque à ce roman un lieu : la chambre où l'amour pourrait se conclure. On ne s'en étonnera pas. Et ce n'est pas seulement une question de décence, car il pourrait n'y avoir eu qu'une allusion, c'est la conséquence même du suspens sur lequel repose le roman : l'amour ne sera pas conclu entre Marianne et Valville, pas plus qu'entre Tervire et Dursan. Et Valville ne vient pas rendre visite à Marianne malade. Si bien qu'il n'y a pas dans ce roman de chambre qui soit le lieu d'une certaine intimité entre un homme et une femme. Le seul cas où un homme et une femme se trouvent dans une situation qui pourrait faire croire à l'amour, c'est un faux-semblant, la conséquence d'une traîtrise, d'une machination. Tervire entend quelque bruit « dans un petit cabinet attenant à [sa] chambre » (p. 476). L'abbé arrive par un « escalier dérobé » ; mais ce n'est que le préambule d'une humiliation publique. Puisque tout le château a été ameuté, et M. de Sercour arrive avec « une épée nue » et « trois ou quatre domestiques de la maison, qui étaient armés » (p. 477). Chambre doublement trompeuse : elle ne pouvait être le lieu d'une intimité amoureuse, puisque Tervire n'aimait pas l'abbé ; elle devient un lieu ouvert à une publicité déshonorante.

C'est peut-être parce que dans l'histoire de Marianne manque toujours ce lieu initial, fondamental : la maison de famille, et plus secrètement peut-être, du fait même, la chambre des parents. Il n'en est pas exactement de même chez Tervire. Il est vraisemblable, bien que ce ne soit pas spécifié, que la chambre nuptiale de ses parents a été chez Mme de Tresle, qui a finalement accepté le mariage, tandis que M. de Tervire n'a rien voulu entendre. Et c'est bien le château de Tresle, non celui de Tervire, qui est ressenti par la petite fille comme la véritable maison de famille ; c'est là qu'elle va vivre avec sa grand'mère, dès le veuvage de sa mère. Et ce château de Tresle laisse à Tervire quelques souvenirs impérissables. Certes, nous ne savons rien de l'architecture extérieure, ni du style ; mais nous connaissons plusieurs pièces de l'intérieur qui vont avoir un rôle important. D'abord, cette petite pièce d'où elle apprend que sa grand'mère est malade gravement : « Quelques jours auparavant, il était venu une dame de ses voisines, son amie intime, à qui elle voulut parler en particulier. Il y avait dans sa chambre un petit cabinet où je passais, et je ne sais par quelle curiosité tendre et inquiète je m'avisai d'écouter leur conversation » (p. 444). Lieu d'une révélation qui annonce la perte de la mère adoptive, lieu qui est un simple « écoutoir », où, dans la solitude et le secret, l'enfant apprend la terrible nouvelle. Rien de plus tragique pourtant que cette solitude à la mort de sa grand'mère : « Où étais-je pendant tout ce fracas ? Dans une petite chambre où on m'avait reléguée à cause de mes pleurs et de mes gémissements qui étourdissaient les deux filles, et que je n'osai en effet continuer longtemps ; l'excès de ma douleur la rendit bientôt solitaire et muette » (p. 445). On voit la petite chambre, sans que pourtant aucun élément descriptif nous soit donné. C'est au contraire l'intériorisation de la souffrance qui crée un certain espace étroit et solitaire autour de l'enfant. Quand il faudra quitter le château, Tervire aura des mots de douleur vraie qui marquent un attachement aux lieux que Marianne, elle, n'éprouve pas de la même façon et pour cause, puisque son absence d'état civil, la situe dans un non-lieu. « Cette maison où je croyais ne pouvoir demeurer sans mourir, je ne pus la quitter sans me sentir arracher l'âme ; il me sembla que j'y laissais ma vie. J'expirais à chaque pas que je faisais pour m'éloigner d'elle, je ne respirais qu'en soupirant » (p. 450). Le château de Tervire, la jeune fille ne l'habitera que beaucoup plus tard, lorsqu'il aura été racheté par Mme Dursan, ce n'est donc qu'à ce moment que le lecteur aura idée de sa topographie. Mais là aussi, nous ignorons tout de l'extérieur, seul le dedans importe. Là encore l'espace se déploie au fur et à mesure des nécessités de l'action ou de l'exploration des sentiments. Il est nécessaire, par exemple, de savoir que Dursan mourant va être installé par Tervire dans « un petit appartement qui était au rez-de-chaussée de la cour » (p. 519). Il faut pour la vraisemblance, mais aussi pour le symbolisme, qu'une distance sépare, l'appartement de la mère et du fils prodigue, et ce chemin qu'elle finira par franchir sera le signe même de cet effort inconscient vers la réconciliation.

L'unique refuge qui soit véritablement maternel pour Marianne, et où elle soit vraiment chez elle, ce serait ce petit appartement que Mme de Miran lui a installé tout près du sien dans son hôtel particulier. Les différents refuges qu'elle avait connus s'étaient révélés décevants : la boutique de la Dutour devenait un mauvais lieu ; le couvent n'avait pas su la protéger de l'enlèvement. Mme de Miran va lui destiner l'appartement qu'elle occupait du vivant de son mari ; c'est donc là que se situe la chambre nuptiale de ces parents qui, par le jeu de l'adoption, deviennent ceux de Marianne. Il se dégage des quelques éléments descriptifs qui sont livrés au lecteur, une extrême impression de bonheur : « nous passâmes dans une grande anti-chambre que j'avais déjà vue, et dans laquelle il y avait une porte vis-à-vis de celle où nous entrions. Cette porte nous mena à cet appartement qu'ils voulaient me faire voir. Il était plus vaste et plus orné que celui de Mme de Miran, et donnait comme le sien sur un très beau jardin. Eh bien ! ma fille, comment vous trouvez-vous ici ? Ne vous y ennuierez-vous point ? regretterez-vous votre couvent ? » (p. 345). En fait, la présence de Mlle Varthon, l'infidélité de Valville, vont différer, peut-être pour toujours, cette installation qui eût été le bonheur même. Marianne n'a pas encore retrouvé le refuge matriciel. Sa destinée même consiste à errer longtemps — toujours, puisque le lecteur est privé d'une partie de son histoire — à la recherche de ce lieu premier.

Symboliquement, le seul lieu où elle ait vu sa vraie mère, mais déjà morte, c'est un carrosse — le lieu par excellence du mouvement et de la fuite, le lieu sans ancrage. Carrosse renversé, dont on extrait l'enfant comme d'un ventre, mais dont on ignore tout, puisque le cocher est mort, et que le livre sur lequel étaient écrits les noms des voyageurs à disparu. Lieu de la vie et de la mort, ce carrosse est en même temps un non-lieu, un mouvement arrêté comme par hasard et dont le sens, la direction (Bordeaux ? pourquoi ?) est définitivement incompréhensible. C'est aussi le seul carrosse où la parole n'ait pas de place, mais seulement le silence de la mort et le cri de l'enfant («pendant que je criais sous le corps de cette femme morte » p.11). Silence qui semble même s'étendre alentour, puisque le valet échappé de l'accident « mourût sans dire à qui il appartenait » (p. 11). Silence solennel et impressionnant, nécessaire à l'énigme, symbole d'une naissance tragique mais qui contraste fort avec l'ensemble du roman, où l'on va retrouver beaucoup de carrosses qui, comme les couvents, se transforment vite en «parloirs », tant la parole gagne tous les lieux dans ce texte où la voix l'emporte à tous les niveaux.

Le carrosse est le moyen de locomotion indispensable et qui distingue le riche du pauvre. Aussi Marianne ne pratique guère la marche à pied qu'au début du roman, et nous ne retrouvons de personnage à pied qu'à la fin, avec l'histoire de la déchéance sociale de la mère de Tervire. L'absence de carrosse, dans les deux cas, est soulignée, comme un scandale. Étonnement de Valville qui reconnaît immédiatement dans l'allure de Marianne quelqu'un de sa classe et qui s'étonne qu'elle ait pu se promener sans équipage[9] ; indignation de Tervire quand elle apprend que sa mère est venue si pauvrement jusqu'à la porte de l'hôtel de son fils.

Le carrosse n'est vu de l'extérieur, et dans sa totalité que lors d'un accident ; carrosse renversé du premier épisode, carrosse qui renverse Marianne au début de la seconde partie ; et des deux accidents naît l'événement, le nouveau : du premier, naît toute l'aventure et l'histoire même de Marianne ; du second, sa rencontre avec Valville. Sinon, le carrosse est toujours vu de l'intérieur, et comme un lieu où l'on parle, et d'abondance ; il est une sorte de prolongement ou de préambule au salon. Le carrosse où monte Marianne

9. On notera l'importance du carrosse de Valville dans la 2e partie : Marianne refuse d'y monter de peur d'avoir à lui indiquer une direction : la boutique de la Dutour.

d'abord, c'est celui de M. de Climal et la séduction commence par le discours. «Je me suis laissée dans le carrosse avec mon homme pour aller chez la marchande : je me souviens qu'il me questionnait beaucoup dans le chemin, et que je lui répondais d'un ton bas et douloureux ; je n'osais me remuer, je ne tenais presque point de place, et j'avais le cœur mort » (p. 30). Il y a un autre carrosse sinistre, c'est celui de l'enlèvement. Carrosse-piège, carrosse-prison : « il était un peu différent de celui que je connaissais et que j'avais toujours vu ; mais ma mère peut en avoir plus d'un » (p. 291) « je remarquai cependant que le cocher m'était inconnu, et qu'il n'y avait point de laquais ». Le carrosse est alors le lieu d'une interrogation angoissée, et d'une découverte progressive de son caractère suspect. La difficulté d'une parole vraie s'y fait sentir comme dans celui de M. de Climal.

C'est parce que ce carrosse n'était qu'une apparence trompeuse : il prétendait être celui de Mme de Miran, et au contraire il servait à arracher Marianne de sa mère adoptive. Tandis que le carrosse ne peut être le lieu du bonheur que s'il est ce qu'il doit être, c'est à dire une figuration du refuge maternel, un lieu où retrouver la mère, dont l'image reste à jamais celle d'un cadavre dans une voiture[10]. Le carrosse permet alors une sorte d'intimité que n'autorisait pas le parloir conventuel coupé d'une grille. Mme de Miran et Marianne y parlent en toute liberté. Marianne dans son couvent, attend comme une libération la venue de Mme de Miran qui l'emmène dans son carrosse, parfois avec Valville. Et c'est dans un carrosse que se lie la première intimité entre Tervire et celle qui va se révéler être sa mère, et qui se trahit très vite, lorsque Tervire lui apprend qu'elle va voir sa mère à Paris : « Je voudrais bien être cette mère-là, me dit-elle d'un air doux et caressant » (p. 542).

L'analyse des divers lieux de *La Vie de Marianne* permet d'aboutir à des conclusions très nettes. Les intérieurs l'emportent de beaucoup sur l'extérieur, et la ville sur la campagne. Les lieux privilégiés sont très évidemment le parloir du couvent, l'appartement, le carrosse ; ils sont surtout le lieu d'une parole, et leur description est plus que sommaire. Il suffit, au fond, que la parole

10. C'est à propos d'une histoire de carrosse qu'éclate la colère de Mme Dutour, comique caricature de l'image maternelle.

soit située, et elle l'est ainsi clairement. Mais on voit à quel point Marivaux s'écarte d'une tradition réaliste qui se complait à décrire les lieux en eux-mêmes ; on est bien loin de ce qu'écrivait Scarron, de ce qu'écriront Balzac, ou Zola.

Si le lieu est spécifié, c'est finalement pour que puisse s'inscrire dans un certain espace une parole presque ininterrompue[11] et un geste qui l'accompagne, pour que des êtres puissent se rencontrer. C'est un espace relationnel et qui n'existe que pour cette relation entre les personnages : l'espace d'un plateau de théâtre[12], mais qui ne serait pas ouvert sur un public, sinon par l'art du romancier. L'espace est étroitement refermé sur les personnages qui se parlent ; les portes se sont ouvertes pour permettre les entrées, et de fenêtres il est fort peu question. Les rideaux de celles du carrosse semblent tirés, car on n'y voit point l'extérieur. Le parloir, la chambre, le carrosse figurent cette inlassable recherche d'un espace matriciel, d'un refuge où pourrait s'opérer une communication sans faille, une osmose entre Marianne-Tervire et des substituts maternels, des mères d'adoption qui figurent la mère unique où se perdre et se trouver.

11. Cf. J.-P. Sermain, « L'art du lieu commun chez Marivaux ; l'opposition « res » et « verba » dans *La Vie de Marianne* », *R.H.L.F.*, 1984, 6.

12. Cf. p. 191 : « je marchai lentement, pour me donner le temps de me rassurer ».

VI

L'OBJET/LA LETTRE

Les lieux, nous venons de le constater, ont subi dans *La Vie de Marianne* une extrême stylisation. Il n'est donc pas étonnant que les objets y soient rares, ces objets qu'au contraire le réalisme recherche et multiplie. Fort peu de mobilier dans ces chambres, juste un lit, si le personnage est couché, une chaise, s'il risque d'avoir besoin de s'asseoir pour parler, un fauteuil, s'il peut lui arriver de s'effondrer sous l'émotion. Il faut que le meuble ait une utilité directe, un sens, ou qu'il ne soit pas. S'il y a une cloche dans le couvent, c'est qu'elle est nécessaire pour rappeler l'étroite soumission des nonnes à l'horaire de leur ordre, et du même coup, rappeler l'heure du récit, et au besoin l'interrompre définitivement.

Il manque deux objets-types du roman : l'objet du crime et le signe de reconnaissance. Nous ne saurons pas quelles étaient les armes des brigands qui attaquèrent le carrosse ; et Marianne ne semble pas posséder ce médaillon, ce bijou qui permet de prouver une filiation ultérieurement. Selon un phénomène que nous avons déjà eu l'occasion d'analyser, l'histoire de Tervire fournit les éléments qui « manquent » (selon une esthétique traditionnellement romanesque) à celle de Marianne. Le bijou, il sera donné à Tervire, par son substitut maternel, la grand'mère. Mais loin d'être le signe lumineux de la reconnaissance, ce diamant devient le signe de la discorde et de l'abandon par les tantes, duplication du thème de l'abandon par la mère, avec une agressivité qui le rend plus douloureux encore. « Mme de Tresle m'avait laissé un diamant d'environ deux mille francs, qu'une de ses amies lui avait autrefois donné en mourant, et qu'elles furent obligées de délivrer au confesseur de leur mère, qui devait me le remettre : ce diamant les avait outrées contre moi, elles ne pouvaient plus me voir » (p. 446). L'objet subit ici cette abstraction qui consiste à le ramener à une valeur, à un prix. Tervire est trop petite, peut-être pour apprécier l'éclat, la beauté du diamant ; il n'est même pas nécessaire qu'elle le voie, et du coup, le lecteur ne le voit pas non plus.

Il est un autre objet qui figure aussi un substitut de l'objet de reconnaissance dans l'histoire de Dursan ; il s'agit de la bague que Dursan tente de vendre pour trouver l'argent nécessaire à soigner son père. On notera, au passage que ces objets : le diamant, la bague, appartiennent au registre du conte de fées où ils sont souvent des objets magiques, mais que, dans l'univers romanesque, leur magie est le plus souvent déviée. Ici la bague prend un double caractère symbolique : elle préfigure un échange de serment qui restera toujours implicite entre Dursan et Marianne. Elle joue aussi un rôle d'objet de reconnaissance, mais affaibli en quelque sorte : elle jette le doute dans l'esprit de Mme Dursan. Aussi l'objet chargé d'un double sens est-il gravé d'une sorte de duplicité ; il est lourd d'une malédiction qui rend à l'avance impossible la négociation qui l'eût ramené à une valeur marchande, et donc privé de sens affectif : « Pourquoi t'es-tu chargée de ce bijou ? A quoi veux-tu que je l'emploie (...) Non, ma fille, reprends-le, ajouta-t-elle tout de suite en me le rendant d'un air triste ; ôte-le de ma vue ; il me rappelle une petite bague que j'ai eue autrefois, qui était, ce me semble, pareille à celle-ci,et que j'avais donnée à mon fils sur la fin de ses études » (p. 503). Ainsi se produit un refus de l'échange : Mme Dursan ne veut pas reconnaître l'objet, malgré ses soupçons ; elle ne veut pas non plus l'acheter, et donc le réduire à une valeur ; il est rejeté, parce qu'il reste à mi-chemin entre l'objet-signe et l'objet-valeur. Aussi va-t-il être rendu à son propriétaire ; l'objet au lieu de circuler et de produire du sens ou de la valeur, retourne à son détenteur. Pas tout à fait inutilement cependant, puisque Mme Dursan accepte de prêter de l'argent et de voir le jeune homme ce qui figure deux formes atténuées de la vente et de la reconnaissance[1].

Dans les retrouvailles de Tervire et de sa mère, nul n'est besoin d'un objet, puisque l'abandon de Tervire n'a été que moral, et que

1. On retrouve aussi une bague — corruptrice — donnée à la femme de chambre de Mme de Sainte-Hermières.

son identité n'a nul besoin d'être prouvée. Le nom remplace donc l'objet : « Et son nom ? reprit-elle avec empressement et respirant à peine. M. le marquis de..., repartis-je toute tremblante. Ah ! ma chère Tervire ! s'écria-t-elle en se laissant aller entre mes bras » (p. 566). Mais ce nom lui-même n'est pas celui du père, mais du demi-frère, et il est laissé en blanc.

On constate donc à la fois une élimination de l'objet de reconnaissance dans l'histoire de Marianne, et une présence diffuse, mais complexe de cet objet qui crée un lien, non pas entre mère et fille, mais entre grand'mère et petite-fille (Tervire) ou petit-fils (Dursan), lien immédiatement refusé soit par le reste de la famille, dans l'épisode de Tervire, soit par la grand'mère elle-même dans l'histoire de Dursan. Ainsi l'objet se trouve frappé d'une sorte d'interdit qui semble peser sur tout le roman, où l'objet est rare.

L'objet agressif est absent du texte (mais non de la gravure). Rappelons le récit de l'attaque des voleurs : « deux hommes qui étaient dedans (le carrosse) voulurent faire résistance, et blessèrent d'abord un de ces voleurs ; mais ils furent tués avec trois autres personnes » (p. 10). La formule passive permet de passer habilement sur « l'instrument du crime », pour parler comme les enquêteurs des romans policiers. Puisque la mère nage dans son sang, c'est qu'une arme a été employée : couteau ou arme à feu, en tout cas symbole viril de l'agression qui est passé sous silence. Et là encore nous trouvons dans l'histoire de Tervire l'objet dont le récit de Marianne est privé. Celui qui va se révéler le jeune Dursan apparaît la première fois, avec un fusil, qui est litigieux, puisqu'il est en train de braconner : « je vis que c'était le garde de Mme Dursan, avec un de ses gens, qui querellaient un jeune homme, qui semblaient avoir envie de le maltraiter, et tâchaient de lui arracher un fusil qu'il tenait » (p. 500). Tervire intervient pour empêcher les domestiques de Mme Dursan d'opérer ce que les psychanalystes jugeraient peut-être un symbole de la castration : prendre à Dursan son fusil. Le père de Dursan lui aussi a une arme, mais réduite au rôle de pur insigne de sa noblesse : « L'autre était un homme de quarante-trois ou quarante-quatre ans, qui avait l'air infirme, assez mal arrangé d'ailleurs, et à qui on ne voyait plus, pour tout reste de dignité, que son épée » (p. 509).

De coups d'épées ou de duels, il n'en est pas question dans ce roman ; on ne se bat pas dans l'épisode de Mme de Sainte-Hermières : M. de Sercour arrive avec « cet ami qui avait soupé avec nous et qui tenait une épée nue » (p. 477). Mais cette épée demeure inemployée. Les esprits malins épilogueront sur le fait que toute épée demeure inemployée dans *La Vie de Marianne*, à commencer par l'épée de chair. Dans ce refus des coups d'épée, on verra plutôt chez Marivaux un refus du romanesque traditionnel ; il n'y eut que trop de duels et de batailles dans les romans précieux et baroques. Ce refus des armes est aussi un des aspects que prend le caractère presque uniquement féminin de ce roman. Quand il y a un enlèvement, il se fait par une femme qui vient prendre Marianne chez d'autres femmes : dans une couvent de nonnes. Ce sera l'effet de la ruse, non de la violence.

Le seul combat du roman se situe dans un registre burlesque : entre Mme Dutour et le cocher. Alors apparaît une arme, celle, non des nobles, mais des paysans : le bâton. Encore est-ce l'aune qui se trouve brusquement, et pour les nécessités de la cause, transformée en arme. Mme Dutour apparaît comme une figure de la mère virile à qui le cocher dispute ses attributs guerriers (p. 97).

Nous avons eu déjà l'occasion de parler des vêtements considérés plus dans leur rapport étroit avec le corps, qu'en tant qu'objets. La présence des vêtements entraîne néanmoins, celle de la cassette qui les contient ou qui joue un rôle assez important soit dans l'histoire de Tervire, soit surtout dans l'histoire de Marianne. On se rappelle la scène où péniblement Marianne la vide des vêtements qu'elle est décidée à rendre à Climal : « Là-dessus j'ouvris ma cassette pour y prendre d'abord le linge nouvellement acheté » (p. 130). Cette cassette est alors le seul bien que possède Marianne. Aussi est-elle consternée lorsqu'elle voit qu'on l'a apportée dans le nouveau couvent où elle a été enlevée : « mon malheur me parut sans retour. M'apporter jusqu'à mon coffre ! il n'y a donc plus de ressource. Vous eussiez dit que tout le reste n'était encore rien en comparaison de cela ; ce malheureux coffre en signifiait cent fois davantage ; il décidait, et il m'accabla ; ce fut un trait de rigueur qui me laissa sans réplique » (p. 304). Rarement le caractère de signe que prend l'objet est indiqué de façon aussi manifeste. Peu importe dès lors la couleur et la matière de ce coffre ; nous n'en saurons jamais rien, et n'en voulons rien savoir. Le pittoresque n'intéresse pas Marivaux. L'objet est un signe, ramené à son caractère plus schématique : c'est presque un idéogramme. Le coffre signifie la totalité de ce que possède Marianne, le déménagement intégral, l'installation définitive dans cet ailleurs mal connu et inquiétant. Il suffit.

Le manque des objets dans *La Vie de Marianne* s'explique aussi par la très large place que tiennent les discours : la parole n'a pas besoin de support matériel : *verba volant*. Il n'en est pas de même de l'écrit qui suppose des objets (plume, encre, etc) et qui est lui-même un objet : lettre, billet. L'écrit, pour être infiniment moins utilisé dans ce roman que la parole, n'en a peut-être que plus de force dans ce texte. Et sa matérialité est en quelque sorte soulignée, au milieu de tant de paroles. C'est ainsi que Marivaux prend soin — lui qui est si peu soucieux de camper un mobilier — de noter la présence de l'écritoire. Et cela à maintes reprises. Quand Marianne a enfin terminé le paquet destiné à Climal : « Il y avait une petite écritoire et quelques feuilles de papier sur la table ; j'en prends une, et voici ce que j'y mets pour Valville » (p. 157). Ou bien, lorsque Marianne préfère écrire devant Mme de Miran le billet qu'elle destine à Valvile : « Voici de l'encre et du papier dans ce parloir » (p. 188). L'encre et le papier ne manquent pas plus au couvent que dans la boutique de la Dutour ; ils signifient la matérialité de l'écrit, sa réalité.

Accessoire indispensable à tout roman, le billet ne peut néanmoins apparaître qu'à certaines conditions ; il suppose, bien évidemment, une distance entre les personnages qui s'écrivent ; il suppose aussi un certain niveau intellectuel et même social du personnage. Seuls les personnages de la classe noble écrivent des lettres dans *La Vie de Marianne* : il y faut des loisirs et une relative culture. Mme Dutour a autre chose à faire qu'à écrire des billets à son amant, et Marianne ne se met à écrire qu'à partir du moment où elle rompt avec Climal, c'est à dire avec une condition qui risquait de devenir celle de fille entretenue, pour accéder à une condition qui est celle d'une jeune fille noble, vivant dans un couvent. Marianne écrit à Mme Dutour pour qu'elle donne des renseignements à l'envoyée de Mme de Miran ; mais la réponse de la Dutour devra être orale : « La personne qui vous rendra cette lettre, madame, ne va chez vous que pour s'informer de moi » (p. 155). Quand la sœur tourière revient : « Ah ! sainte mère de Dieu, que je viens d'entendre dire du bien de vous » (p. 156).

La lettre amoureuse a, comme on peut s'y attendre, une place privilégiée dans le roman. La première que reçoit Marianne est dans la plus pure tradition romanesque[2] : « Il y a trois semaines que je

2. Cf. F. Deloffre, éd. *La Vie de Marianne*, p. 188, n.1. Notons qu'il y a moins de lettres dans l'épisode, plus campagnard, de Tervire, sauf dans l'intermède mondain de Mme de Sainte-Hermières.

vous cherche, mademoiselle, et que je meurs de douleur. Je n'ai pas dessein de vous parler de mon amour, il ne mérite plus que vous l'écoutiez. Je ne veux que me jeter à vos pieds... » (p. 187). Mais ce qui étonne, en général, dans *La Vie de Marianne*, c'est la brièveté des messages, brièveté qui contraste avec l'infinie longueur des conversations. En fait, le billet a le plus souvent pour but de demander une entrevue, il est un simple préliminaire à la parole qui demeure toujours souveraine dans cet univers. Aussi peut-il devenir d'une brièveté extrême, s'il ne fait que fixer un rendez-vous ; ainsi, la réponse de Marianne est particulièrement lapidaire : « Je n'ai pu vous parler tantôt, monsieur ; et j'aurais pourtant quelque chose à vous dire. Et je vous serais obligée de venir ici demain à onze heures du matin. Je vous attendrai » (p. 189). Il est vrai que cette entrevue, dans mon esprit, doit être le moment où elle lui annoncera sa volonté d'être religieuse.

Le billet reste rarement secret. Il a parfois été rédigé publiquement ; il est bien rare qu'il soit lu par son seul destinataire. Marianne tient à écrire ce billet devant Mme de Miran[3] pour que sa bienfaitrice soit sûre de sa loyauté parfaite « Il ne s'agit que d'un mot, lui dis-je ; et je puis tout à l'heure l'écrire devant vous, madame » (p. 188). La lettre de Valville qui avait pourtant un accent autrement personnel, est lue par sa mère et Mme Dorsin, avant d'être lue par Marianne. Inversement, le billet peut n'être lu par personne. Dans le cas de la religieuse amie de Tervire qui a refusé d'ouvrir la lettre du jeune abbé et qui charge Tervire de la lui rendre, personne n'en aura pris connaissance — et par conséquent le lecteur en sera réduit à l'imaginer, mais l'abbé peut croire que Tervire l'a lue. « Apparemment que la religieuse en avait déjà à moitié rompu le cachet, dont la rupture dut lui persuader, sans doute, que je l'avais lu, et qu'ainsi je savais jusqu'où il était dégagé de scrupules en fait de religion » (p. 463). Ainsi se trouve jeté le trouble : la religieuse qui prétend n'avoir pas lu la lettre, l'aurait-elle lue ? et le jeune abbé croit qu'elle a été lue par Tervire qui n'en a rien fait.

La lettre peut être systématiquement équivoque. Et ce sera la vengeance de l'abbé qui, par un raffinement de perversité digne d'un héros de Laclos, va utiliser une brève missive que

3. C'est Mme de Miran qui se charge de la cacheter (cf. p. 189), et la lettre de Valville à Mlle Varthon sera donnée à lire à Marianne (p. 370-371).

Mme de Sainte-Hermières, prétextant un rhumatisme a fait écrire de la main de Marianne : « Vous savez que je vous attends ce soir ; ne me manquez pas » (p. 475). Tervire croit écrire un billet de la part de Mme de Sainte-Hermières pour Mme de Clarville. L'abbé s'arrangera pour faire croire que ce billet a été écrit par Marianne et s'adresse à lui. Ce billet est le seul dans le roman à avoir cette vertu maléfique.

La lettre peut au contraire rétablir la vérité : tel est bien le cas de celle que rédige Mme de Sainte-Hermières à l'article de la mort et qui innocente Tervire et dévoile la noirceur du complot dont elle a été victime. Cette lettre est symétrique des révélations que fait Climal sur son lit de mort ; mais l'écriture lui donne une concision, une brièveté que n'atteignait pas le mourant qui s'épuisait en paroles. La lettre de Mme de Sainte-Hermières a la sécheresse d'un constat, d'un témoignage apporté dans un procès : « Prête à paraître devant Dieu, et à lui rendre compte de mes actions, je déclare à M. le baron de Sercour qu'il ne doit rien imputer à Mlle de Tervire de l'aventure qui s'est passée chez moi, et qui a rompu son mariage avec elle » (p. 482).

Le texte de la lettre peut subir une éclipse : alors que Marivaux ne fait guère grâce au lecteur des paroles des personnages, il le prive volontiers des correspondances : ainsi des lettres de la mère de Tervire dont nous n'avons que la substance extrêmement schématisée : elle se plaint de sa santé, puis « n'écrit plus que rarement » (p.441). Sa correspondance semble plus active lors de l'épisode de Mme de Sainte-Hermières où elle conseille à sa fille d'entrer au couvent. Curieusement il semble que ce ne soit pas Tervire qui lui écrive directement, mais Mme de Sainte-Hermières. Ainsi le mystère peut continuer à entourer cette mère qui est pour le lecteur, comme pour Tervire une inconnue jusqu'à la onzième partie, et les dernières pages du roman.

La lettre est susceptible de plusieurs types de présentation. Entre l'éclipse (comme pour les lettres de la mère de Tervire) et la reproduction intégrale, des situations intermédiaires sont possibles. Parfois le texte est reproduit en entier. La question de la vraisemblance ne se pose pas. Il est bien évidemment improbable que Marianne sache par cœur le texte de ses lettres ou qu'elle les ait conservées — il faudrait supposer que, dans des épisodes ultérieurs et que nous ignorons, Valville les eût rendues. En fait, ce n'est pas sur le plan de la vraisemblance psychologique qu'il convient de se placer[4]. Marianne reproduit ou ne reproduit pas le texte intégral, suivant l'importance qu'il a à ses yeux. La lettre qui accompagne les vêtements de M. de Climal et qu'elle envoie à Valville lui semble un modèle de dignité ; aussi est-elle fort affirmative sur l'exactitude des termes, si importante pour que le lecteur puisse en juger en connaissance de cause : « voici ce que j'y mets pour Valville ». Et, après le texte : « Que dites-vous de ma lettre ? J'en fus assez contente, et la trouvai mieux que je n'aurais moi-même espéré de la faire, vu ma jeunesse et mon peu d'usage » (p.158). Il est évident que les termes mêmes de la lettre à Mme Dutour ont infiniment moins d'importance, et que l'on se contente d'un « à peu près » (p. 155).

La lettre pose cependant le problème de la signature, et nous voilà ramenés à l'éternelle question de l'identité de Marianne ; loin d'esquiver la difficulté, le romancier la souligne, puisqu'elle est à la base même de l'intrigue romanesque. L'inscription du nom devient essentielle à la lettre. Dans la lettre à Valville que nous citions, une périphrase résout fort habilement le problème : « le père Vincent (...) vous apprendra (...) à vous reprocher l'insulte que vous avez faite à une fille affligée, vertueuse, et peut-être votre égale » (p. 158). Avec Mme Dutour, le moyen d'aller se servir de telles subtilités ? « Et *Marianne* au bas pour toute signature » (p. 155). L'importance de cette signature est grande du fait que Mme de Miran lit le billet, puis la prieure. Le billet permet donc l'inscription matérielle de ce manque de nom qui pèse si lourdement sur la jeunesse de Marianne, mais qui permet aussi l'aventure, donc le roman.

La lettre tient dans tout roman une fonction ambiguë qui est à la fois celle d'un objet ayant une certaine matérialité : on prend la lettre, on la transmet, on la met dans une poche, on l'ouvre ou on ne l'ouvre pas — d'où une série de gestes qui en découlent — et d'un support de texte plus ou moins réductible, développé ou résumé, suivant les nécessités du récit. Ici elle ne perd guère sa matérialité que lorsqu'il s'agit des lettres de la mère de Tervire — ce qui n'est certes pas un hasard puisque le problème fondamental du roman, c'est la présence ou l'absence du corps de la mère, thème repris sous des formes diverses dans l'histoire de Marianne et dans

4. Cf. cependant p. 187 : « la lettre était courte, et la voici, autant que je puis m'en ressouvenir ».

celle de Tervire. Mais, sauf ces cas d'ellipse totale du texte qui correspond aussi à une abstraction de l'objet (quoiqu'évidemment les deux questions soient distinctes : on peut ne pas voir un personnage tenir ou toucher une lettre, et pourtant en avoir le texte intégralement reproduit), la lettre en tant qu'objet a une matérialité certaine, et qui se résume plus dans la nature du geste qu'elle provoque que dans sa substance. Nous ne savons jamais la couleur du papier, ni la taille, ni rien de l'aspect (sauf peut-être le cachet rompu de la lettre de la religieuse). Peu importe le papier qu'utilise Valville, ce qui importe en revanche, et beaucoup, c'est l'échange de regards qui accompagne l'échange de la lettre : « Je le regardai alors en prenant sa lettre, je lui trouvai les yeux sur moi ; quels yeux, madame ! les miens se fixèrent sur lui ; nous restâmes quelque temps sans rien nous dire ; et il n'y avait encore que nos cœurs qui se parlaient » (p. 161). La matérialité de la lettre importe moins que son échange.

On constate donc dans *La Vie de Marianne* un étrange effacement de l'objet ; les seuls qui finalement aient une certaine présence, ce sont les vêtements et les lettres, parce qu'ils sont déjà un langage. La lettre, comme le vêtement, tient au corps et s'en détache ; elle est écrite par la main, transmise de main en main ; elle provoque des regards ; mais, dès qu'elle est ouverte, elle se transforme en discours ; elle redevient parole, puisque cet écrit est lu, le plus souvent à haute voix, et qu'en tout cas, elle est prise en charge par une parole plus vaste, qui est celle de Marianne. Cette parole est finalement consignée par écrit, certes, puisque Marianne écrit à sa correspondante, puisque Marivaux écrit son livre ; le billet conserve néanmoins ce caractère aérien de la parole, à être ainsi cernée par elle, enveloppée par elle ; et comme elle, il s'évanouit. Il n'y a rien à toucher dans *La Vie de Marianne*, les objets y sont trop schématiques pour conférer au lecteur quelque impression tactile transposée. Le lecteur se sent lui-même enveloppé de paroles, n'ayant pas à rencontrer jamais la consistance des objets : le seul objet vraiment présent, la lettre, s'envole en mots. Le roman ne tend pas à créer l'illusion d'une réalité tangible ; il se donne pour ce qu'il est : un ensemble de mots, une parole, comme dans la lettre, mise sur le papier, et dont le flux se déroule sans interruption, sans se heurter à la consistance des choses.

[illegible]

est finalement consignée par écrit, certes, puisque Marianne écrit [illegible]
à sa correspondante, puisque Marivaux écrit son livre ; la parole [illegible]
serve néanmoins ce caractère aérien de la parole. À être ainsi [illegible]
née par elle, enveloppée par elle ; et comme elle il n'a [illegible]
n'y a rien à toucher dans *La Vie de Marianne*, les objets y sont
trop schématiques pour conférer au lecteur quelque impression [illegible]
de transposé. Le lecteur se sent lui-même enveloppé de [illegible]
n'ayant pas à rencontrer jamais la consistance de l'objet. [illegible]
objet vraiment présent, la lettre, s'envole en mots. Le roman ne
tend pas à créer l'illusion d'une réalité tangible ; il se contente [illegible]
ce qu'il est, une suite de mots, une parole, comme [illegible]
tre, mise sur le papier, et dont le flux se déroule sans [illegible]
sans se heurter à la consistance des choses.

VII
PAROLES ET SILENCES

Cet opéra pour voix de femmes est un chant continu et la parole y est presque incessante, investissant le champ romanesque, revêtant toutes sortes de fonctions diverses, tenant lieu de paysages, de décors et d'actions. *La Vie de Marianne* n'est que parole. A peine un personnage a-t-il fini de parler qu'il s'en va pour laisser la place à un autre. Sur une scène de théâtre ou d'opéra les silences ne peuvent qu'être brefs : un suspens, et si les dialogues cessent, c'est pour laisser à Marianne la liberté de chanter en soliste, d'exprimer dans un flux qui est aussi une parole intérieure ses réflexions sur les paroles.

I. PAUSES

Il y a néanmoins des silences dans le texte, et il n'en apparaissent que plus saisissants. Un silence initial qui reste impossible à combler : celui des victimes de l'accident, et en particulier de la mère ; si elle eût parlé, le mystère, donc le roman, n'eût jamais existé. Le silence ici a une valeur magique, c'est celui des contes de fées ou de l'histoire du Graal : parce qu'un personnage n'a pas pu parler, une suite de malheurs se déclenche. La langue maternelle s'est tue, et peut-être la prolixité infatigable des mères de substitution dans ce roman n'est-elle là que pour voiler ce manque. La mort est surtout représentée comme une cessation définitive de la parole, et, par contraste avec la mère, les mourants s'empressent de parler pendant qu'il est encore temps. Et d'abord la sœur du curé ; mais on discours est définitivement interrompu : « Quelqu'un de la maison qui entra alors, l'empêcha d'en dire davantage » (p. 21). Pourquoi avoir pris soin de noter que le discours de la sœur du curé n'avait pu aller jusqu'au bout ? Le lecteur s'imaginera-t-il qu'elle avait quelque révélation à faire sur la naissance de Marianne ? Ou ne faut-il pas, dans la mesure où elle est une image maternelle, qu'il demeure en elle une part de non-dit sinon d'inter-dit.

Les mourants ne parlent d'abondance que s'ils sont coupables. Mme Dursan prononce fort peu de mots (p. 531). Au contraire deux personnages doivent faire *in articulo mortis* des révélations qui innocentent l'héroïne : Climal et la domestique de Mme de Sainte-Hermières qui tous deux, de leur vivant, avaient tenté de souiller la réputation de Marianne et de Tervire. M. de Climal est particulièrement prolixe et sa confession n'en finit pas : le confesseur lui-même voudrait l'interrompre : « Ah ! monsieur, en voilà assez, dit le père Saint-Vincent, en voilà assez ! » (p. 247). Mais Climal continue ; « je n'ai pas encore tout dit, mon père » (p. 248), c'est la formule même de la confession qui a failli être incomplète (celle dont parle Chateaubriand dans *Les Mémoires d'Outre-Tombe*) et qui entraînerait la damnation si le pêcheur ne se ravisait *in extremis*. Car dans le sacrement de confession, le silence est coupable. Il est donc indispensable que le mourant parle, à en perdre haleine, et jusqu'à y épuiser le dernier souffle vital.

Devant la mort des autres, Marianne se tait, et c'est là sa manière de manifester la profondeur de son émotion. Au moment de la mort de la sœur du curé : « peut-être êtes-vous curieuse de savoir ce que je lui répondis. Rien, car je n'en eus pas la force. Son discours et les idées de sa mort m'avaient bouleversé l'esprit : je lui tenais son bras que je baisai mille fois, voilà tout » (p. 21). Et après la longue confession de Climal, « Je pensai faire des cris de douleur en l'entendant parler ainsi. Mme de Miran rentra avec Valville ; mes pleurs et mes sanglots la surprirent » (p. 252). La parole des mourants ne peut trouver de réponse que dans le silence des vivants.

Le silence est en effet la marque suprême et rare de l'émotion. Peu de paroles lorsque Mme Dursan reconnaît son fils « nous la vîmes pâlir et rester comme évanouie » (p. 527). Dans les circonstances moins tragiques, le silence est noté (un peu comme le musicien note les silences par des signes appropriés). Quand Valville déguisé en valet apporte à Marianne ce qui est le premier billet d'amour, les regards disent plus que l'écrit (p. 161). Il y a longtemps que l'on a dit que le langage du cœur se passe de mots.

Il est un silence plus étrange : c'est celui qui scelle, en quelque sorte, la filiation adoptive de Marianne et de Mme de Miran : «C'est ma fille plus que jamais, répondit ma bienfaitrice avec un attendrissement qui ne lui permit de dire que ce peu de mots ; et sur-le-champ elle me tendit une troisième fois la main, que je pris alors du mieux que je pus, et que je baisai mille fois à genoux, si attendrie moi-même, que j'en étais comme suffoquée. Il se passa en même temps un moment de silence qui fut si touchant, que je ne saurais encore y penser sans me sentir remuée jusqu'au fond de l'âme » (p. 181). Le passage a un caractère magique que souligne le nombre trois ; il s'agit d'une sorte d'initiation au terme de laquelle Marianne retrouve une mère ; cela ne peut se faire qu'en rejoigant l'espace d'un instant le silence dans lequel est ensevelie la vraie mère. Et ce silence retentit encore en la narratrice.

Mais ce silence n'a toute sa valeur que parce qu'il est exceptionnel dans une œuvre où la parole est, en quelque sorte, l'état habituel des personnages. C'est par le langage que s'établit la communication, avec une infinie possibilité de nuances, puisque cette communication peut être plus ou moins grande et que c'est précisément par le langage que se marque aussi la distance. On peut distinguer plusieurs hypothèses. Il y a d'abord le cas où la parole, loin de permettre une communication fait apparaître au contraire la rupture. Mais Marianne a une foi un peu naïve dans les paroles. Ainsi avec M. de Climal, il lui faut un certain temps pour saisir ce que ses discours ont de mensonger ; encore faut-il que des gestes lui apprennent à saisir une sorte de double sens, parallèle aux paroles dévotes. Ainsi s'opère l'apprentissage de Marianne. Jusqu'à présent, elle avait vécu chez la sœur du curé, dans un univers maternant et sans ruse où il n'y avait pas de distance possible entre les paroles et les pensées. C'est finalement cette distance que lui enseigne essentiellement l'expérience, et par conséquent cette expérience ne peut être que malheureuse. Une évolution surprenante s'opère avec une très grande vitesse, si l'on tient compte du peu de durée de la première partie : « Oh ! pour cela, monsieur, lui dis-je, je compte sur vous et sur votre bon cœur. Sur mon bon cœur ? reprit-il en riant ; eh ! vous parlez donc de cœur, chère enfant, et le vôtre, si je vous le demandais, me le donneriez-vous ? Hélas ! vous le méritez bien, lui dis-je naïvement » (p. 37). Jusque là Marianne ne se doute pas des pièges du langage. C'est l'éclair dans les yeux de Climal qui est pour elle « un coup de lumière » et lui fait comprendre l'ambiguïté du mot « aimer ». Mais pour s'assurer de l'ambiguïté du mot, elle recourt à des propos qu'elle a entendus, selon cette idée, habituellement répandue au XVIIIe siècle, que si l'on n'entendait pas parler d'amour, on ne serait pas si facilement amoureux : « Il se pourrait bien faire que cet homme-là m'aimât comme on aime une maîtresse ; car enfin, j'en avais vu, des amants dans mon village, j'avais entendu parler d'amour, j'avais même déjà lu quelques romans à la dérobée ; et tout cela, joint aux leçons que la nature nous donne, m'avait du moins fait sentir qu'un amant était bien différent d'un ami » (p. 37). La finesse de Marianne lui fait faire des progrès d'une rapidité étonnante, et cette ambiguïté du langage, loin d'être un piège pour elle, devient au contraire une arme : « Je feignis donc de ne rien comprendre aux petits discours que me tenait M. de Climal pendant que nous retournions chez Mme Dutour. J'ai peur de vous aimer trop, Marianne, me disait-il ; et si cela était que feriez-vous ? Je ne pourrais en être que plus reconnaissante, s'il était possible, lui répondis-je » (p. 41). Dans les dialogues avec M. de Climal il se produit vite un renversement des rôles. D'abord Climal parle le langage de la dévotion et de la charité pour amener celui de la passion et le faire accepter de l'innocente Marianne. Mais vite celle-ci essaie de l'enfermer dans le langage de la dévotion, et fait semblant de voir de la dévotion là où il voudrait qu'elle voie de la passion ; elle tente par la naïveté de ses propos de l'enfermer dans son masque. Parfois le jeu devient presque impossible : « Ce discours était assez net, et il était difficile de parler plus français : je fis semblant d'être distraite pour me dispenser d'y répondre » (p. 41). Car si les mots se mettent à prendre leur véritable signification, il ne peut y avoir qu'une rupture, et chacun des personnages la retarde, Climal espérant convaincre Marianne, Marianne étant prête à accepter l'équivoque jusqu'à un certain point, et n'étant pas tout de suite décidée à renoncer héroïquement aux avantages matériels que procure cette équivoque.

Avec Valville, le premier dialogue souffre aussi d'une sorte de malaise ; mais qui est bien différent, puisqu'il est dû à la naissance de l'amour ; or, très vite, avec une vitesse qui peut même surprendre le lecteur, il se déclare sans équivoque « il est vrai que je vous aime, et que j'emploierais à vous le dire tous les moments que nous passerions ensemble, et tout le temps de ma vie, si je ne vous quittais pas » (p. 75). A quoi Marianne répond par des soupirs et le recours à une célèbre litote : « je ne vous hais point » (p. 76). Le malaise du dialogue ne provient donc pas du fait que les personnages ne voudraient pas avouer leurs sentiments, mais du fait que Marianne ne veut pas dire un mot qui serait du même coup un aveu du mystère de sa naissance : le nom de la Dutour. Alors se prolonge un malentendu, Valville croit qu'elle ne donne pas cette adresse pour l'empêcher de la revoir : « Allons, mademoiselle, s'écria-t-il à son tour avec douleur en se levant d'auprès de moi : je vous entends. Vous ne voulez plus que je vous revoie, ni que je sache où vous reprendre » (p. 77). La parole devient impossible, et, à plusieurs reprises, Marivaux note des silences qui ne sont pas le signe de la plénitude du sentiment, mais d'un embarras douloureux.

Ces silences réapparaîtront, beaucoup plus tard dans le roman, comme le signe même du changement des sentiments de Valville. « Valville, qui, pendant que j'avais parlé, avait fait de temps en temps comme quelqu'un qui veut répondre, mais qu'on ne laisse pas dire, se leva tout d'un coup d'un air extrêmement agité, et sortit de la salle sans que personne le retînt » (p. 411).

II. L'INVASION DE LA PAROLE

La parole, dans ce roman où il n'y a pas de scène de violence, devient pourtant une arme qui tue. Indirectement, certes. Car, sauf sur le mode burlesque et passager de Mme Dutour, il n'y a pas d'injures échangées. Mais dans ce monde essentiellement poli, la parole est susceptible de devenir néanmoins d'une rare cruauté. Parfois inconsciente. Ainsi quand Mlle Varthon raconte à Marianne son intrigue avec Valville. « Pendant qu'elle parlait ainsi, elle ne s'apercevait point que son récit me tuait (...) ; et tout cruel qu'était ce récit, mon cœur s'y attachait pourtant, et ne pouvait renoncer au déchirement qu'il me causait » (p. 369). Certes, comme le signale F. Deloffre, le thème des « rivales confidentes » (p. 369, n 1) n'est pas rare dans la littérature, et Marivaux en a fait lui-même usage dans *Les Effets surprenants de la sympathie*. Ici la situation est assez complexe, puisque Marianne raconte comment elle se trouve en situation d'écoute d'autres paroles échangées, en dehors d'elle, entre

Valville et Mlle Varthon. Elle devient ainsi voyeuse, ou plutôt écouteuse d'une scène à laquelle elle n'a jamais assisté, et entend indirectement des paroles qui, loin de lui être destinées, devaient lui demeurer cachées. Ce qui la tue dans ce récit, c'est précisément d'entendre cette parole qui ressemble tant à celle que Valville lui a dite, mais qui se trouve avoir changé de destinataire. La parole rapportée devient redoutable.

A propos d'*Adolphe*, J. Jallat écrivait très justement : « le langage est d'abord ce qui se répète : on réentend ses propres mots et ceux des autres, on reprend les mêmes paroles, les autres répètent les mêmes « expressions d'amour », redisent votre nom, rapportent vos discours. Mais cette coagulation du langage a pour revanche une incessante activité de manipulation » (« Adolphe, la parole et l'autre », *Littérature,* mai 1971, p. 75). Certes, il y a, dans *La Vie de Marianne*, comme dans *Adolphe* plusieurs niveaux dans cette manipulation. D'abord, Marianne, comme Adolphe, au moment où elle écrit se remémore une extraordinaire quantité de paroles (beaucoup plus certes qu'Adolphe). Elle se remémore, ou recrée, car il est bien évident que l'invention supplée à la mémoire. Mais au niveau même de l'histoire de la jeunesse de Marianne, on voit comment la parole passe d'une bouche à l'autre, comment les propos sont répétés, et au besoin transformés. Ainsi l'histoire de l'arrivée de la Dutour chez les Fare est immédiatement colportée de salon en salon. Dès le départ, dans une société certes moins brillante mais infiniment bienveillante, les potins allaient bon train : « Etait-il question de mes parents, c'était des étrangers, et sans difficulté de la première condition de leur pays ; il n'était pas possible que cela fût autrement, on le savait comme si on l'avait vu ; il courait là-dessus un petit raisonnement que chacune d'elles avait grossi de sa pensée et qu'ensuite elles croyaient comme si elles ne l'avaient pas fait elles-mêmes » (p. 13-14). La parole répétitive par excellence dans *La Vie de Marianne* est, comme nous avons eu déjà l'occasion de le signaler, celle qui relate plus ou moins les origines : la parole est d'autant plus répétée que manque précisément cette parole qui eût désigné nettement et sans conteste l'identité de Marianne.

La parole peut être aussi répétitive, parce qu'elle est prospective. Tel personnage dit à tel autre qu'il devra dire ceci ou cela, et la parole se trouve transmise comme prévu. Tel est le cas, par exemple, quand Mme Dorsin et Mme de Miran persuadent

Marianne de dire à Valville qu'elle veut se faire religieuse. Mme Dorsin propose : un « procédé bien digne » de Marianne : « qu'elle lui parle elle-même : il n'y a qu'elle qui puisse lui faire entendre raison » (p. 183). Mme de Miran complète : « Ne serait-il pas à propos, pour achever de lui ôter toute espérance, que ma fille feignît de vouloir être religieuse et ajoutât même qu'à cause de sa situation elle n'a point d'autre parti à prendre ? » (p. 184). Ainsi, progressivement, se constitue tout le discours de Marianne, et elle n'aura plus qu'à répéter la leçon : « je serai religieuse » (p. 198). Peut-être même y aurait-il eu une duplication du propos, une sorte de double répétition : « J'avais pourtant dit que j'allais être religieuse, et je pensais le répéter par excès de zèle ; mais comme Mme de Miran l'oubliait, je m'avisai tout d'un coup de réfléchir que je ne devais pas l'en faire ressouvenir » (p. 200). La répétition de la parole est toujours cruelle chez Marivaux. Il semble même que toute la cruauté de *La Vie de Marianne* consiste essentiellement dans ces répétitions, soit parce qu'elles sont en quelque sorte forcées, programmées, soit parce qu'elles sont redites avec des intentions malveillantes, soit parce qu'elles parviennent ainsi à des personnages à qui elles n'étaient pas destinées. La circulation de la parole la rend redoutable. C'est qu'évidemment les mots n'ont pas le même sens suivant le personnage qui les prononce et celui qui les entend. En utilisant la parole répétitive avec une telle subtilité et une telle fréquence, Marivaux joue sur le sens, et pratique un peu ce que font les musiciens, ses contemporains, lorsqu'ils écrivent un thème avec des variations : le sens du thème n'est pas le même suivant l'accompagnement, la tonalité, etc... Mme de Miran bien évidemment ne se représente que de façon approximative la souffrance de Marianne lorsqu'elle doit répéter devant Valville les mots qu'elle lui a soufflés ; ou, plus exactement, elle ne va saisir cette souffrance que lorsqu'elle les entend dire par Marianne, et non lorsqu'elle les propose : « ceci n'a pas réussi comme je le croyais, ce n'est pas sa faute », confesse-t-elle alors, vaincue par l'émotion (p. 199).

La parole s'exprime le plus souvent au style direct. Nous avons eu l'occasion d'évoquer, à propos du temps du récit, la présence dans *La Vie de Marianne* du style indirect ; son emploi n'en est pas moins extrêmement limité. La plupart du temps, la parole envahit le texte, tout entière, et sans être réduite, résumée. Il semble même qu'il y ait un plaisir à laisser la parole se dérouler le plus lentement possible. Marivaux ne fait pas grâce à son lecteur des paroles qui par elles-mêmes n'ont guère d'utilité ni psychologique ni dramatique. Ainsi, la tourière introduit Marianne auprès de la prieure : « Madame, dit la tourière à la religieuse, j'allais vous avertir ; c'est mademoiselle qui vous demande » (p. 148). Là où d'autres écrivains se seraient contentés de dire que la tourière annonce Marianne. La parole de la tourière immédiatement situe les personnages, donne à la scène une certaine dimension spatiale qui, en l'absence de description, risquerait de lui manquer. C'est seulement après cette parole annonciatrice que Marivaux va se lancer dans un portrait de la prieure et des considérations sur l'embompoint des religieuses. Ainsi la réponse de la prieure ne se fera entendre qu'une page plus loin : « Mademoiselle, je suis votre servante, me dit-elle en se baissant pour me saluer » (p. 149). La parole de la tourière est donc restée en quelque sorte en suspens, pendant que le lecteur se représente la scène, et sa nécessité n'était autre que de permettre ce suspens et d'intégrer ainsi la description au dialogue lui-même.

La parole envahit tout : les descriptions, les gestes des personnages, tout se fait dans la parole. Le plus souvent les gestes vont être évoqués à la suite des mots : « dit-elle, en se baissant pour me saluer ». Les jeux de physionomie aussi : « dit alors la dame en question avec un sourire tendre » (p. 149). Loin d'éviter ces incises (dit-elle, répondit-elle) qui sembleraient alourdir le dialogue, Marivaux, au contraire, les emploie systématiquement, parce qu'elles permettent de greffer sur la parole tout ce qui n'est pas elle, et ainsi d'étendre son domaine.

L'utilité évidente de ces incises est aussi de marquer le passage d'un personnage à un autre, comme si le lecteur entraîné par le flot des paroles risquait de ne plus savoir qui parle. En effet le passage de la parole d'un personnage à un autre n'est pas souligné par le recours à des caractéristiques qui suggéreraient une différenciation : ni le vocabulaire, ni les tournures, ni le style ne distinguent véritablement Mme de Miran, Valville, Marianne : Marivaux ne se soucie guère de ce genre de pittoresque. Il arrive souvent aussi qu'il n'y ait pas d'alinéa, surtout si les répliques sont relativement courtes. La parole passe d'un personnage à l'autre, comme s'il s'agissait d'une parole continue qui fonctionne sans arrêt d'un bout à l'autre du roman, glissant de bouche en bouche, sans véritable discontinuité.

Si une notation psychologique, ou un geste ne se greffe pas sur l'incise, alors Marivaux la réduit au minimum et ne cherche pas à la varier : « dit-elle », « répondit-elle » vont alterner sans que le romancier s'en soucie le moins du monde : il ne s'agit que de marquer le passage de la parole, de savoir qui parle. A vrai dire le lecteur n'est nullement gêné par cette monotonie, qu'il ne perçoit pas, et finalement peu lui importe que soit employé le verbe dire, répondre, etc. Le verbe n'a d'intérêt que si par lui-même il apporte une spécification, qu'il précise l'accent de la parole. « M'écriais-je » n'est évidemment pas le synonyme de « dis-je ».

Il arrive, à l'inverse, que les qualifications greffées sur l'incise soient si abondantes qu'elles obligent la réplique à être en quelque sorte répétée. Valville annonce à Marianne que son oncle mourant veut la voir : « Moi, monsieur ! repris-je en respirant plus à l'aise (car sa façon de me parler me rassurait, et puis cet oncle mourant ne me paraissait plus si dangereux (...)). Moi, monsieur, m'écriai-je donc, et d'où vient m'attend-il ? » (p. 243). Loin de passer inaperçue, l'incise dans ce cas est d'un poids qui momentanément l'emporte sur celui de la parole. Mais chez Marivaux, la voix a toujours le dessus, et Marianne reprend la parole d'abondance.

Très proche habituellement de l'incise, se trouve placé le « vocatif » qui précise cette fois-ci non plus qui parle, mais à qui l'on parle. Et là aussi Marivaux n'essaie point d'alléger, de supprimer ; il n'est pas pressé, il se complait dans la parole, et il entraîne son lecteur dans cette complaisance. D'ailleurs ce vocatif peut par lui-même avoir une coloration psychologique non négligeable ; il n'est évidemment pas synonyme que Marianne dise à Mme de Miran ; « madame » ou « ma chère mère ». Cette valeur du vocatif, Marivaux au besoin la souligne pour le cas où son lecteur aurait été inattentif. Quand la prieure apprend que Marianne n'a pas de parents : « Certes, votre situation est fort triste, mademoiselle (car il n'y eut plus ni de ma belle enfant, ni de mon ange ; toutes ces douceurs furent supprimées). » Marivaux y revient, comme à un signe qui a immédiatement frappé la jeune Marianne : « vous m'affligez, ma pauvre enfant (ma pauvre ! quelle différence de style ! Auparavant elle m'avait dit : ma belle) vous m'affligez ». Il ironise enfin, sans que l'on puisse savoir si c'est la jeune Marianne ou Marianne plus mûre qui a pris cette distance ironique : « je quêterai pour vous, et je vous remettrai demain ce que j'aurai ramassé. (Quêter pour un ange, la belle chose à lui proposer !) » (p. 153).

Parenthèse d'autant plus curieuse qu'elle se greffe implicitement sur un « mon ange » qui n'est pas formulé à ce moment là, mais l'a été beaucoup plus haut.

Parmi ces vocatifs, il en est dont la valeur est particulièrement importante : ce sont ceux qui instaurent un lien de parenté imaginaire. Dans le déroulement romanesque, ce qui fait que Mme de Miran est une mère pour Marianne, ce ne sont pas seulement ses actes, mais bien davantage cet échange de paroles, cet appel de « mère » et de « fille ». Par les mots échangés, s'instaure une famille qui remplace celle du sang : la parole se substitue à la chair. Famille d'élection qui peut surprendre les non-initiés, à commencer par Valville. « Non, ma mère, lui dis-je fortifiée par sa présence (...) Et sur-le-champ : Vous voyez, monsieur, dis-je à Valville, qui ne savait ce que nous voulions dire avec ces noms que nous nous donnions, vous voyez comment Mme de Miran me traite » (p. 194). Passage admirable dans la mesure où il fait saisir comment le rapport entre les êtres est finalement — du moins dans le roman, et peut-être dans la vie — question de langage. Valville n'est que «monsieur » dans cette scène où il s'agit de l'écarter ; mais Mme de Miran n'est « ma mère » que grâce au vocatif, c'est-à-dire à l'adresse directe, qui suppose une complicité, une communication, lorsqu'il s'agit de la désigner à la troisième personne elle redevient « Mme de Miran », ce qu'elle est aux yeux du monde.

Il semble, à certains moments du dialogue, que les vocatifs soient finalement plus importants que le reste du discours auquel ils s'intègrent : « Va, ma fille, me dit Mme de Miran, achève, et ne t'arrête point là-dessus. Non, ma mère, repris-je, laissez-moi dire tout » (p. 195). Les expressions « ma fille », « ma mère » peuvent aussi donner tout leur poids à des moments particulièrement pathétiques. « Tu l'aimes donc, ma fille ? reprit-elle en souriant » (p. 186), auquel répondra, beaucoup plus loin dans le roman, et sur le mode musical mineur : « ma fille, est-ce qu'il ne t'aime plus ? ». Parfois une contradiction s'instaure entre le vocatif et le reste de la phrase qui fait ressortir un douloureux contraste : « Hélas ! ma mère, je ne serai donc point votre fille » (p. 367). Toute une conjugaison est possible dans le rapport du vocatif à l'ensemble des propos : harmonie, recul ou avance. Le jeu des vocatifs peut créer un langage que dément ou que confirme le discours, d'autant plus saisissant s'il s'agit d'une invocation pure, comme dans l'exemple que je viens de citer, où la destinataire de ce vocatif est absent.

Il reste que, dans le roman à la première personne, le vocatif lorsqu'il désigne précisément cette première personne, se trouve dans une situation très particulière ; le lecteur ne peut pas lire « Marianne », dans un récit fait par Marianne elle-même, comme il lit Valville. Le vocatif ici, comme la signature en bas de lettre, rappelle au lecteur ce nom qu'il pourrait à la rigueur ne pas connaître ; il faut que d'autres personnages s'adressent au narrateur pour qu'il prenne un nom. Marcel, Adolphe ne sont nommés chez Proust ou chez B. Constant que parce que des personnages s'adressent à eux. Dans le cas de Marianne, l'importance de cette interpellation est d'autant plus grande que Marianne n'a d'identité dans la société que par ce prénom.

C'est bien évidemment par le dialogue que Marianne, la jeune héroïne, prend une distance par rapport à Marianne narratrice. A parler au style direct, à s'entendre appeler, à répondre aux propos des autres, Marianne jeune prend une sorte d'individualité et se détache de Marianne mûre à qui personne ne parle, sinon lorsqu'elle suppose des propos de sa destinataire (mais il s'agit là de moments très rares finalement). Alors que dans les temps de réflexion, il est parfois difficile de marquer la frontière, et sauf si elle le spécifie, de distinguer ce qui appartient à Marianne à dix-huit ans et Marianne à cinquante, dès qu'il y a dialogue au contraire, la jeune Marianne retrouve en quelque sorte l'extériorité d'un personnage. On voit la justesse de ces propos de J. Jallat, dans son commentaire d'*Adolphe* : « La parole directe est donc, dans le roman du *je*, la subversion même. Très vite sa logique le subvertit ; prétendûment donné au même, au substitut du narrateur, elle l'a détourné vers cette autre instance du texte : les « personnages », où son privilège de sujet disparaît » (*op. cit.* p. 81). La parole directe, parce qu'elle s'inscrit à un moment historique précis, marque la distance entre le personnage et le « je », souligne les quelque trente ans qui ici les séparent.

Dans le dialogue vont donc se faire sentir deux mouvements contraires : le vocatif (« Marianne ») situe l'héroïne comme une autre, détachée de la narratrice, devenue en quelque sorte personnage ; mais l'incise : « dis-je », « répondis-je » est infiniment plus ambiguë : puisqu'elle suppose une parole, elle place Marianne en tant que personnage, qu'actrice, dans un dialogue ; mais en même temps rappelle l'unité paradoxale du moi qui fait que ce même pronom « je » désigne aussi bien Marianne à cinquante ans qu'à dix-huit. Effet renforcé si l'on suppose, comme cela se produit souvent, que dans l'incise de la réplique précédente, la destinataire de la parole était précisée, et donc que le « je » apparaissait déjà mais à un autre cas (ex. « me répondit-elle »). Alors que « Marianne » désigne presque exclusivement dans le roman le personnage de dix-huit ans, « je » désigne indistinctement les deux femmes qui, à deux bouts de la vie, dialoguent, l'une racontant l'histoire de l'autre. Soit ce fragment de conversation avec Mlle Varthon : « Nous sommes toutes deux à plaindre, me dit-elle ; il ne m'a point parlé de vous ; je l'aime, et je ne le verrai de ma vie. /Il ne m'en aimera pas davantage, lui répondis-je en versant à mon tour un torrent de larmes » (p. 367). Si bref soit-il, ce texte présente l'intérêt, à titre d'exemple, de contenir une grande variété de pronoms personnels : le « je » certes, mais aussi le « nous », qui soudain opère une sorte de rapprochement non seulement entre Marianne et Varthon, mais entre la narratrice et cette même Varthon peut-être fort lointaine maintenant, morte ? La troisième personne désigne, évidemment aussi bien un absent (Valville) que l'interlocutrice (Mlle Varthon) absente pour Marianne narratrice, mais présente pour Marianne-personnage.

Le jeu des incises devient beaucoup plus subtil, quand la parole ne fait que relater une autre parole, ce qui est assez fréquent dans *La Vie de Marianne* : un personnage raconte ce qu'un autre lui a dit. Pour ce faire, il emploiera parfois un discours indirect, parfois il transportera dans son propre discours les paroles de l'autre, toutes vives encore et au style direct. Le cas le plus pathétique, on le trouvera peut-être dans les entretiens de Marianne et de Mlle Varthon. Deux personnages dialoguent. Sans cesse pourtant une autre parole se fait entendre, celle de Valville s'adressant à Mlle Varthon, et c'est cette parole qui « tue » Marianne, et provoque chez elle ces propos hors dialogue, en *a parte* et que Varthon n'entend même pas. Et voici l'intrusion de la parole d'autrui dans toute sa violence scandaleuse ; tandis que le style indirect la feutrait, en introduisant l'écran d'une subjectivité, et par conséquent qu'elle pouvait toujours être dénoncée comme déformée, les paroles directes, elles, prennent la force d'un témoignage incontestable. Varthon parle : « il ne me dit point qu'il m'aimait, mais je sentais bien que ce n'était que cela qu'il voulait dire ». Marianne peut encore douter ou contester la justesse de l'interprétation de Mlle Varthon. Mais celle-ci renchérit : « J'ai tenu cette belle main que je vois dans les miennes, ajouta-t-il encore, je l'ai tenue. Vous me vîtes à vos genoux, quand vous commençâtes à ouvrir les yeux ; j'eus bien de la peine à m'en ôter ; et je m'y jette encore toutes les fois que j'y pense./Ah ! Seigneur ! il s'y jette m'écriai-je ; il s'y jetait pendant que je me mourais ! Hélas ! je suis donc bien effacée de son cœur ! Il ne m'a jamais rien dit de si tendre » (p. 369-370). Le jeu sur les temps (il s'y jette, il s'y jetait) est subtil : le présent fait sentir que Marianne, par l'imagination, vit la scène racontée, comme si elle y était, et c'est bien là l'effet de cette intrusion au style direct de la parole rapportée ; mais la reprise à l'imparfait (il s'y jetait) n'est pas moins douloureuse, puisqu'elle réintégre l'événement à la temporalité de Marianne. La parole demeure, puisqu'elle est susceptible d'être rapportée, et prend ainsi un caractère de preuve tangible, aussi douloureuse et irréfutable que le billet de Valville à Varthon que va lire Marianne. Située dans le passé, elle est toujours susceptible de revivre dans le présent si elle est répétée. La parole ne meurt pas, non seulement, parce que tout le roman est censé être la répétition, la transcription de paroles dites trente ans auparavant, mais parce que, à l'intérieur même de ces dialogues, elle est toujours susceptible de revivre, de se répéter avec une acuité accrue par le changement des interlocuteurs.

III. LANGAGES

La parole dans *La Vie de Marianne* est essentiellement parole de femme : puisque tout est raconté par Marianne ou Tervire, mais aussi parce que dans la répartition des dialogues, les personnages féminins l'emportent de beaucoup sur les personnages masculins : plus de femmes, et des femmes qui parlent beaucoup. Si M. de Climal se montre un peu prolixe au début, il sera bientôt terrassé ; il parle certes sur son lit de mort, mais voilà cette voix masculine qui se tait. Les jeunes héros parlent assez peu, qu'il s'agisse de Dursan et même de Valville : celui-ci semble réduit à ne formuler jamais que les quelques paroles indispensables pour manifester l'amour ; il parle assez abondamment dans la première scène, après l'accident de Marianne, et parce qu'il voudrait la convaincre de rester chez lui, mais ensuite, il est peu loquace. La disproportion dans la répartition de la parole est flagrante. Quand la scène se passe entre trois personnages, par exemple Mme de Miran, Marianne, et Valville, ce dernier est très peu bavard, et ne dit que les paroles strictement nécessaires au déroulement de la scène.

C'est donc par une moindre prolixité que se marque la différence entre le langage des hommes et celui des femmes, dans *La Vie de Marianne*, du moins globalement. Si l'on cherche, de façon plus précise, à délimiter ces deux paroles, on se heurte à un certain nombre de difficultés. Le roman n'a pas comme l'opéra la possibilité de marquer d'emblée des différences de tessiture entre les voix, et les signes linguistiques se ramènent finalement à assez peu de chose : l'accord des adjectifs et des participes, dans le discours, et, dans l'incise, la variation du pronom à la troisième personne : « dit-elle », mais qui reste extérieur au langage même du personnage. D'autre part, le romancier vit dans une civilisation où la différence sexuelle est plus sensible, par exemple, au niveau du vêtement qu'à celui du langage. Le clivage de la parole est certainement plus visible d'une classe à l'autre, que d'un sexe à l'autre. Enfin, Marivaux, dans *La Vie de Marianne* semble fort peu soucieux de ce réalisme qui consisterait à donner à chaque personnage un style bien déterminé et distinct de celui des autres. Toutes ces remarques préliminaires pour montrer la difficulté du sujet que nous abordons. Un lecteur un peu distrait, ne perçoit peut-être pas immédiatement les différences de tessiture entre les personnages, et le ténor que représente Valville s'aventure dans des aigus où il retrouve les voix de femmes, de Marianne que l'on supposerait soprano et Mme de Miran que l'on croirait contralto. La voix de Climal serait plus grave dans ce quatuor vocal. Mais chaque voix, faute d'une tessiture aussi marquée que dans la musique, a-t-elle un style qui la distingue ?

Le langage des hommes, en général, semble beaucoup plus conventionnel que celui des femmes. Climal prend le langage de l'hypocrisie religieuse, et Valville, de l'amour, sans tenter de le renouveler véritablement. Marivaux, dans les deux cas, a des modèles culturels auxquels il ne craint pas de se référer ouvertement. Pour Climal, la référence à Molière est plus d'une fois sensible et devient même un « clin d'œil » au lecteur, mais nous allons y revenir. Quant à Valville, il emploie le langage de l'amour, dès la première déclaration (p.71). Langage qui peut se faire pathétique, bien entendu : « Ne m'exposez point à vous perdre pour toujours ; et s'il est vrai que vous n'ayez point d'aversion pour moi, ne m'ôtez pas les moyens de vous parler quelquefois, et d'essayer si ma tendresse ne pourra vous toucher un jour » (p. 76). L'usage d'un certain nombre de figures de rhétorique (en particulier de la litote) fait partie de ce langage de l'amour précieux, hérité du XVIIe siècle et affiné par le XVIIIe. Le rythme même de la phrase est en quelque sorte donné d'avance, avec ses balancements (quelquefois, un jour ; parler, essayer). Cette seconde partie du roman est encore celle où Valville parle le plus abondamment ; néanmoins, par la suite, son langage, sinon son personnage, demeure toujours conforme à ce modèle. Ce qui amène deux conséquences. D'une part, son silence, lorsqu'il n'est plus capable de remplir l'emploi d'amoureux parfait. Il fonctionnait selon un certain langage — et il emploie exactement le même à l'égard de Mlle Varthon : ce parallélisme n'est pas sans être douloureux pour Marianne (p. 370). Lorsque il a trompé Marianne, il ne sait guère que dire ; le personnage n'a plus le langage de son rôle. D'autre part, lorsqu'il parle à sa mère, son langage est très proche de celui de l'amour : « J'aime mieux mourir que de vous affliger : mais vous qui avez tant de tendresse pour moi, que voulez-vous que je devienne » (p. 199). C'est une des caractéristiques de ce roman, qu'on ne puisse parler à la mère que le langage de la passion.

Marianne l'emploie quand elle parle à Mme de Miran, beaucoup plus nettement que lorsqu'elle parle à Valville. Cela s'explique, certes, par le souci des convenances. Marianne ne doit pas exprimer ses sentiments à Valville avec trop de feu ; mais je crois aussi que l'on peut voir là le signe de cette relation maternelle privilégiée et obsédante que nous avons eu déjà l'occasion de déceler dans ce roman. « Ah ! mon Dieu, que de plaisir ! Quoi ? dix ou douze jours avec vous, sans vous quitter » (p. 347). Ou encore, lorsque Marianne a connu l'infidélité de Valville : « Ma mère, lui dis-je d'une voix encore faible, je ne connaîtrai jamais de plus grand plaisir que celui d'être avec vous, j'en ferai toujours mon bonheur, je n'en veux point d'autre, je n'ai besoin que de celui-là » (p. 413). Le dialogue de Mme de Miran et de Marianne se situe presque toujours à ce niveau passionnel, et parfois pathétique qui ne fait que mieux ressentir ce que l'usage du mot « mère » a ici de paradoxal, de doublement paradoxal : il s'agit d'une maternité de substitution, d'adoption ; mais aussi, en quelque sorte, de sublimation, qui — et Marianne le dit textuellement — pourrait fort bien tenir lieu de tout autre lien affectif (« je ne prends plus d'intérêt à la vie que pour être avec ma mère » (p. 413).

Le langage de Mme de Miran est plus sobre que celui de Marianne ; certes, elle exprime, elle aussi, son amour pour Marianne, mais elle doit figurer une personne plus mûre ; elle a un rang social, même si elle est prête à se moquer des considérations du monde et de ses interdits. Contrairement à une certaine prolixité de Marianne, elle affectionne la phrase courte et interrogative, qui permet des effets fulgurants. Son langage est celui du sublime dans la simplicité, qui correspond bien au caractère du personnage : « il te reste une mère ; est-ce que tu la comptes pour rien ? » (p. 412). On a souvent cité la briéveté bouleversante de la phrase : « Ma fille, (...) est-ce qu'il ne t'aime plus ? » que F. Deloffre analyse pertinemment : « Nous avons ici, suivant une terminologie propre à Marivaux lui-même dans les *Pensées sur le Sublime*, un *sublime de sentiment*, qui provient de l'âme, par opposition au *sublime de pensée*, qui est une 'image de la façon de l'esprit' » (p. 411, n. 1). Et ce sublime du sentiment s'exprime dans un raccourci qui contraste avec la prolixité du discours dans *La Vie de Marianne*. On notera que ces effets de sublime sont presque uniquement du registre de Mme de Miran.

Le langage de la vie mondaine n'est finalement sensible dans *La Vie de Marianne* que par reflet, et non directement. Par bien des aspects, Marianne est un roman de la retraite, et l'héroïne passe plus de temps dans des couvents que dans des salons. Lorsqu'elle est dans le salon de Mme Dorsin, le romancier ne reproduit pas les paroles mondaines qu'elle peut entendre ; il se contente d'analyser la substance de ces paroles : il ne les transcrit pas : « Ils ne disaient rien que de juste et que de convenable, rien qui ne fût d'un commerce doux, facile et gai » (p. 213). Marianne est séduite par ce bon ton : « ce ton de conversation si excellent, si exquis, quoique si simple, me frappa » (p. 212). Mais, il n'était pas utile pour le lecteur d'intendre ces paroles, et il est à supposer que Marianne ne dit pas grand'chose et se contente d'écouter ; c'est problablement ce qui explique cette ellipse du discours, assez exceptionnelle, il faut bien l'avouer dans *La Vie de Marianne*. Néanmoins ce langage de la politesse déborde, évidemment, du cadre des salons ; Mme de Miran, et surtout Mme Dorsin l'emploient, plus ou moins consciemment, dans l'enceinte du couvent et dans le secret du parloir. La préciosité n'est pas absente de ces conversations où les deux dames se disputent le cœur de Marianne et le titre de mère :

« L'aimable enfant ! s'écria là-dessus Mme Dorsin ; savez-vous que je suis un peu jalouse de vous, madame, et qu'elle vous aime de si bonne grâce que je prétends en être aimée aussi, moi ? Faites comme il vous plaira, vous êtes sa mère ; et je veux au moins être son amie ; n'y consentez-vous pas, mademoiselle ? » (p. 173). On voit ici comment une exquise politesse, stimulée par l'affection entraîne — sensible au niveau même de la structure de la phrase — un retournement, un renversement qui transforme en obligée celle qui oblige et en bienfaitrice celle qui reçoit des bienfaits.

Il est pourtant un moment dans le récit où l'exquise politesse mondaine va se trouver perturbée, c'est dans l'histoire de Tervire, lorsque celle-ci vient dans le salon de sa belle-sœur. Elle s'est acquittée de formules de politesse : « je venais aussi pour avoir l'honneur de vous voir (ce ne fut pas sans beaucoup de répugnance que je finis ma réponse par ce compliment-là ; mais il faut être honnête pour soi, quoique souvent ceux à qui l'on parle ne méritent pas qu'on le soit pour eux) » (p. 575-576). Après ce préambule dont le sens est précisé par la parenthèse, la parole de Tervire éclate violente, sans fard : « les affaires de ma mère sont bien simples et bien faciles à entendre ; tout se réduit à de l'argent qu'elle demande, et dont vous n'ignorez pas qu'elle ne saurait se passer » (p. 576). La conversation entre les deux femmes se déroule dans ce climat de tension, où finalement les formules « madame », « mademoiselle » ne font que mieux sentir la sécheresse du propos. La défense qu'essaie d'adopter la jeune marquise consiste à faire comprendre à son interlocutrice qu'elle sort du langage des salons : « Vous feriez vraiment d'excellents sermons » (p. 578). Est-ce un hasard ? le texte sur lequel se termine *La Vie de Mariannee* est violent, tendu par l'indignation, et subvertit le langage mondain. Les deux salons : celui de Mme Dorsin dans l'histoire de Marianne, celui de la belle-sœur, dans l'histoire de Tervire sont exactement antithétiques. Dans le premier une parole d'une transparence et d'une douceur telle, qu'à la limite elle est intranscriptible : sa fluidité, son évanescence ne laissent que le souvenir de la douceur et de la perfection, sans qu'aucun mot, aucune phrase puisse en être exactement reproduite. Dans le discours de Tervire, tout est exprimé, même ce qu'il n'est pas décent de dire ; la conversation est brève, elle se termine sèchement : l'univers mondain et son langage sont bousculés par l'irruption de la pauvreté ; le signe de cette discordance, c'est la présence de mots qui seraient plutôt du registre réaliste : « argent »,

« auberge », « faire un prêt » « vendre ou du moins retenir son linge et ses habits » (p. 179). La misère, son urgence détruisent toutes les barrières que la société s'est ingéniée à édifier pour protéger les riches.

De même que, dans l'histoire de Tervire également le langage de la passion fait éclater le langage dévôt. Et voici encore l'occasion de rapprocher, pour mieux les opposer l'histoire de Marianne et celle de Tervire. Dans l'épisode de M. de Climal le langage de la dévotion, conformément à un code déjà fort bien mis au point dans *Tartuffe*, est utilisé pour l'expression de la passion — passion honteuse, passion de vieillard hypocrite, de suborneur. Et l'on trouve un écho de cet épisode chez Mme de Sainte-Hermières, autre fausse dévote qui se plaît à cultiver l'ambiguïté du langage. Mais très proche d'elle, dans le temps et dans l'espace éclate le langage de la passion et retentit le cri de la religieuse amoureuse, dont le vocabulaire habituel est brusquement bouleversé par l'intrusion de l'amour, et dont les phrases traduisent le conflit violent entre Dieu et la chair, sans aucun des hypocrites accomodements d'un Climal. Comme dans l'épisode de la belle-sœur de Tervire, un langage de la violence soudain déchire un lieu habitué à des propos feutrés ; la passion subvertit l'ordre conventuel, comme la misère et l'indignation devant la misère subvertissent l'ordre mondain. La phrase de Marivaux prend alors une acuité, un tranchant auquel *La Vie de Marianne* ne nous avait pas habitués. Qu'à deux reprises dans l'histoire de Tervire ce même éclatement se produise, ne manque pas d'être remarquable. Plus de dix ans se sont écoulés entre le début et la fin (inachevée) du roman, dix ans pendant lesquels ont mûri à la fois le romancier et un siècle qui s'avance déjà vers la Révolution. Comme à la veille de séismes, les premières fissures sont révélatrices. Certes un scandale dans un salon ou une religieuse amoureuse ne sont pas des phénomènes nouveaux ; mais le fait que Marivaux ait introduit à la fin de son roman ces deux discordances donne un sens, c'est-à-dire une direction à son roman : nous ne sommes pas dans l'univers intemporel de l'éternel retour. Quelque chose a changé, peut-être pas tant dans la société que décrit Marivaux, que dans la façon dont il la décrit : le discours social n'est plus exactement le même ; la violence y éclate ; le langage a perdu cette belle, et un peu molle, nonchalance du début ; le temps presse, et la prolixité, les subtilités psychologiques de Marianne ont fait place au désespoir de la religieuse et à l'indignation de Tervire.

Avant d'en arriver à cet éclatement, le langage dévot aura longuement, sinueusement circulé dans toute l'œuvre, employé tantôt hypocritement, tantôt sincèrement ; mais finalement, au niveau du vocabulaire, la différence n'est guère sensible. On notera que Marivaux, s'il s'est montré assez peu soucieux de distinguer fortement les diverses façons de parler de chaque personnage, a tenu cependant à caractériser deux types de langage : celui des dévots, et celui du peuple représenté essentiellement par la Dutour, le cocher et Villot. Le dévot, le peuple : ce sont les deux domaines radicalement autres. Marianne n'est ni dévote ni populaire, et Tervire non plus, car si elle est religieuse, il est assez surprenant qu'elle n'emploie pas le langage de la dévotion, et qu'elle parle à peu près comme Marianne, avec simplement un rythme plus rapide, et peut-être une tension plus dramatique. Le discours que tient Tervire est celui d'une femme malheureuse, non d'une religieuse. Quand elle semonce un peu Marianne, c'est en moraliste : « Pour être le jouet des événements les plus terribles, il n'est seulement question que d'être au monde » (p. 430). C'est tout juste si l'expression « ma chère enfant » employée surtout dans les moments où le cadre du récit se trouve rappelé, se rattache légèrement à un univers d'onctuosité conventuelle. Pour le reste, le langage de Tervire n'a vraiment rien de dévot : il ne semble pas qu'elle ait pris les habitudes de langage de son entourage : de cela nous n'avons pas d'autre explication que de supposer chez elle une certaine distance vis à vis d'un couvent où elle ne serait entrée qu'à regret ; mais là, comme pour Marianne, le grand silence qui sépare le moment de la narration du moment du récit ne permet pas au lecteur de répondre avec certitude.

Il s'agit évidemment d'un propos délibéré, et de montrer, dans le langage même, la distance qui existe entre Tervire et les autres religieuses. Car Marivaux excelle à rendre le langage des religieuses. A ce propos, toutes les paroles de la supérieure du couvent où se réfugie Marianne (qui est aussi le couvent de Tervire, la longueur du roman ne doit pas nous le faire oublier) toutes ces paroles sont un chef-d'œuvre du genre[1]. Le langage des religieuses est une façade : «A voir ces bonnes filles, au reste, vous leur trouvez un extérieur affable, et pourtant un intérieur indifférent » (p. 149).

1. Sur les divers langages dans *La Vie de Marianne*, on consultera l'ouvrage fondamental de F. Deloffre, *Une préciosité nouvelle, Marivaux et le marivaudage*, Colin, 1967 (2e éd.).

Une façade qui les protège comme les murs de leurs couvents. La sensibilité de surface s'y exprime par l'abondance des phrases exclamtives, parfois amorcées par de pieuses invocations : «Jésus, mademoiselle ! » (p. 151). L'exclamation traduit une facilité à s'extasier : « Qu'elle est belle ! qu'elle a l'air sage ! Ah ! ma fille, que je suis ravie ! que vous me donnez de joie » (p. 150). Le vocabulaire mystique y est présent aussi et des références à des notions théologiques, comme celle de la prédestination (les querelles du jansénisme sont encore vivaces) : « En vérité, quand je vous ai vue, j'ai eu comme un pressentiment de ce qui vous amène : votre modestie m'a frappée. Ne serait-ce pas une prédestinée qui me vient ? ai-je pensé en moi-même. Car il est certain que votre vocation est écrite sur votre visage » (p. 150). Mme de Sainte-Hermières emploiera le même terme à propos de Tervire : « Ma prédestinée, me disait-elle souvent (car elle et ses amis ne me donnaient point d'autre nom), que la piété d'une fille comme vous est un touchant spectacle ! Je ne saurais vous regarder sans louer Dieu, sans me sentir excitée à l'aimer » (p. 454). La parole de la vraie dévotion et de la fausse dévotion sont si semblables que l'on ne manque pas d'en être troublé. Mais la supérieure a-t-elle une dévotion vraie ? Certes, elle ne mène pas le double jeu d'une Mme de Sainte-Hermières ; mais il suffit qu'elle apprenne que Marianne est pauvre, pour que son zèle pieux disparaisse tout à fait.

Le langage de M. de Climal offre ce mélange de sensualité et de dévotion que déjà Molière avait parfaitement réalisé dans *Tartuffe*. Dieu est nommé à tout propos : « Dieu est le maître, il faut le louer de tout ce qu'il fait ». « Que les desseins de Dieu sont impénétrables » (p. 27). Le chef-d'œuvre de cette hypocrisie religieuse est peut-être dans la dérobade de Climal devant le religieux : « je lui pardonne de tout mon cœur et, bien loin de me ressentir de ce qu'elle a pensé de moi, je vous jure, mon père, que je lui veux plus de bien que jamais, et que je rends grâce à Dieu de la mortification que j'ai essuyée dans l'exercice de ma charité pour elle : mais je crois que la prudence et la religion même ne me permettent plus de la voir » (p. 136). Là aussi il y a une étrange analogie entre le vrai et le faux et le langage du père Saint-Vincent est bien semblable à celui de Climal ; sa dévotion est décevante qui ne lui permet pas de donner à Marianne une aide vraiment efficace, et qui n'est guère capable que d'exprimer son désarroi : « Mon bon Sauveur ! dit-il alors tout ému ; ah ! Seigneur ! voilà un furieux récit ! Que faut-il que j'en pense ? et qu'est-ce nous, bonté divine » (p. 143).

Nous sommes là sur un registre qui n'est pas loin de la comédie. Le Père Saint-Vincent donnera pourtant un bel exemple d'éloquence religieuse quand il sera dans une situation moins imprévue pour lui : celle de confesseur au chevet d'un mourant. Ses discours auprès de Climal atteignent à une éloquence qui n'est pas sans rappeler la grande éloquence de la chaire pratiquée par le siècle de Louis XIV et encore fort en vogue au XVIIIe siècle : « Oui, monsieur, ce n'est plus vous en effet que nous estimons ; ce n'est plus cet homme de péché et de misère ; c'est l'homme que Dieu a regardé, dont il a eu pitié, et sur qui nous voyons qu'il répand la plénitude de ses miséricordes. Puissions-nous, ô mon Sauveur ! nous qui sommes les témoins des prodiges que votre grâce opère en lui, puissions-nous finir dans de telles dispositions ! » (p. 247).

Le langage du peuple se fait entendre aussi dans *La Vie de Marianne*, mais en quelque sorte, comme un langage exotique. Certes, on peut, selon la célèbre formule, voir « ce que c'est que l'Homme dans un cocher, et la Femme dans une petite marchande », mais nous suivons parfaitement l'opinion de H. Coulet (*op. cit.* p. 474), lorsqu'il parle de « réalisme ironique », et ajoute que Marivaux « ne réhabilite pas la lingère comme lingère et le cocher comme cocher ». Car se référer à des notions humanistes, revient en fait à refuser au peuple sa spécificité, à réduire l'écart, la différence, puisque dans Mme de Miran ou dans Climal, on peut aussi voir l'Homme et la Femme. Mais cette référence humaniste que brandit Marivaux pour sa propre défense, elle est en quelque sorte démentie au niveau même du langage où, au contraire, s'inscrit la différence, et le romancier sait fort bien qu'il ne s'agit pas de faire parler la lingère comme la marquise. Mais comment marquer cette spécificité ? Finalement, on peut distinguer deux cas : le peuple servile, les domestiques emploient un langage qui s'efforce de copier celui des maîtres ; leur dépendance implique qu'ils se conforment à certains modèles du langage poli. Dans les discours de Villot, rien qui sente le terroir ; pas de patois. Quelques expressions simplement rappellent qu'il est un domestique, ou du moins un fermier : « je vous conduirai tout à l'heure à notre bourg, si ces dames y consentent ; et ce sera bien de l'honneur à moi de vous rendre ce petit service » (p. 448-449).

Le langage du peuple, il n'éclate, dans toute sa vitalité et son pittoresque que lors de la scène de Mme Dutour et du cocher : il faut la violence pour qu'il se déclenche ; de même, à un moindre degré, chez Mme de Fare : il faut le scandale des paroles de la Dutour, pour que son langage garde sa spécificité : « Eh ! que Dieu nous soit en aide ! Aurais-je la berlue ? N'est-ce pas vous, Marianne ? » ; l'effet scandaleux de ses révélations est renforcé par la brutalité de ses propos : « C'était M. de Climal qui l'y avait mise, et puis qui la laissa un beau jour de fête ; bon jour, bonne œuvre ; adieu va où tu pourras ! Aussi pleurait-elle, il faut voir la pauvre orpheline ! Je la trouvai échevelée comme une Madeleine, une nippe d'un côté, une nippe d'un autre ; c'était une vraie pitié » (p. 264). Le mot « nippe » avait certes une dignité qu'il a perdu et le législateur du Code civil parle des « nippes et hardes » de la femme mariée. La différence du parler populaire au parler noble ne se marque que très peu par une différence de vocabulaire. Marivaux refuse d'inscrire cette spécificité de façon trop discordante (ainsi en recourant au style « poissard ») ; il faut que toute honnête femme qui lira *La Vie de Marianne*, il faut que la marquise à qui s'adresse la narrataire puisse comprendre aussi bien les révélations de la Dutour que ses injures au cocher. Or l'étrangeté du vocabulaire crée une distance beaucoup plus grande que les variations de syntaxe. Marivaux refuse aussi de recourir à ce procédé qui deviendra fréquennt au XIXe siècle et qui consiste à inscrire dans le texte même les variations de la prononciation. Certes Mme Dutour ne prononce probablement pas les mêmes mots de la même façon que Mme de Miran, et encore moins Villot qui est un provincial. Mais cette différence-là, elle ferait tache dans le texte ; elle supposerait chez la narratrice une volonté de mimer, et chez sa lectrice une certaine patience. (On sait les difficultés qu'aura George Sand à introduire dans ses romans des éléments de patois berrichon, et encore avec quelle discrétion !)

Le caractère populaire du langage se marque finalement par quelques procédés assez limités : le recours aux invocations, « pardi », « merci de ma vie », aux proverbes et jurons : « bon jour, bonne œuvre » (p. 264), « palsambleu » (p. 93), « jarnibleu » (p. 94) dit le cocher. Son langage n'est d'ailleurs pas exactement identique — pour autant qu'on puisse en juger par de rapides échantillons — à celui de Mme Dutour ; il marque un degré de plus dans la violence et la grossiéreté. Certes, Mme Dutour le traite d'« ivrogne » (p. 94), mais lui, l'a appelée « chiffonnière », « crasseuse » (= avare). Et, Marivaux, le moraliste prend sa revanche en disant « Le mauvais exemple débauche » (p. 93). L'abondance des exclamations et des interrogations ne peut pas être mis uniquement sur le compte du caractère populaire mais il fait partie d'une vivacité du discours qui accompagne une scène violente.

Néanmoins, on le voit, le langage populaire est soigneusement endigué dans cette œuvre ; Marianne, malgré ses modestes débuts, n'en est pas entachée ; ce langage ne déteint pas sur un personnage bien né, et nul ne s'aperçoit, quand elle est chez Mme Dorsin, qu'elle a passé par la boutique d'une Dutour : il est vrai qu'elle n'y reste guère. Cette scène avec le cocher lui aura mieux fait sentir sa différence, et la certitude d'être née pour vivre ailleurs que dans une boutique. De la même façon Tervire ne risque pas d'être contaminée par le langage des villageois (dont d'ailleurs Marivaux ne nous donne pas d'aperçu pittoresque). Finalement les quelques échantillons de langage populaire dans *La Vie de Marianne* parviennent surtout à souligner l'unité d'un certain type de discours qui domine, et de beaucoup, dans le roman, et qui est caractérisé à la fois par l'appartenance à une classe sociale : la noblesse, et à un sexe : le féminin. Le langage dominant, c'est celui d'une Mme de Miran, de Marianne, de Tervire, de Mme Dorsin ou de Mme Dursan. Ce sont leurs paroles qui donnent sa musicalité à l'œuvre, et l'on passe sans heurt d'un personnage à l'autre, parce qu'elles ont le même langage, que l'on pourrait appeler, celui de la féminité noble.

IV. LA FÉMINITÉ

Ce langage féminin de la sensibilité qui représente une sorte de norme dans le roman, par rapport au langage dévot ou au langage du peuple qui, eux, constituent comme des écarts, on aimerait tenter de le caractériser et d'analyser ses éléments rhétoriques. Car finalement, ce sont par les larmes et par les paroles que s'expriment la féminité dans ce roman où les corps sont ramenés à des épures, à des regards, ou encore à des éléments isolés comme la main, le bras, le pied. Le langage, par rapport au corps, représente une continuité qui, inscrite dans le temps même du roman, ne subit que peu de ruptures. Mais quel est le langage de la femme, ou plutôt quelle représentation du langage de la femme peut se faire un romancier du XVIIIe siècle ? et Marivaux en particulier ?

Pendant longtemps a plané sur le langage de la femme la même condamnation qui portait sur toute sa personne. Théologiens, médecins, légistes se la représentaient comme un être diabolique, dont la parole est à la fois séductrice prolixe, irrationnelle. Mais le XVIIIe siècle marque, sur ce chapitre, comme sur beaucoup d'autres un grand renouvellement[2] et l'on ne trouve pas trace anti-féminisme dans *La Vie de Marianne* ; il n'en reste pas moins qu'une certaine image du parler féminin y domine, à laquelle les conceptions traditionnelles ne sont pas étrangères. Ainsi, le proverbial bavardage : Marivaux aime analyser et subtiliser, certes, mais, il se laisse beaucoup plus aller à cette tendance lorsqu'il prend pour porte-parole une femme : les lenteurs de *Marianne* comparées à la briéveté du *Paysan parvenu* s'expliquent essentiellement par ce clivage entre la parole de l'homme brève et efficace, et la parole de la femme prolixe, et (cause ou conséquence) privée de tout impact de commandement direct dans l'univers politique. Certes, la situation de la femme au XVIIIe siècle lui donne plus de pouvoir qu'au XVIIe, mais ce pouvoir indirect des salons et des alcôves, et la parole de Marianne, de Mme de Miran, de toutes les femmes du roman n'a d'impact que sur la vie privée.

La parole de la femme n'est pas ici représentée comme tentatrice, en revanche ; ou du moins, si elle propose de croquer la pomme, c'est avec une pudeur bien opposée à la traditionnelle impudeur que les théologiens se sont plu à supposer à la femme. La parole séductrice, elle, est beaucoup plus du registre masculin : M. de Climal en donne une belle illustration, ou, de façon plus brève, le jeune ecclésiastique de l'histoire de Tervire. Il n'y a point de parole féminine absolument perverse dans ce roman. Le rôle de maquerelle n'y est systématiquement tenu par personne. Mme Dutour le deviendrait volontiers, elle reproche à Marianne sa sévérité à l'égard de M. Climal, non sans garder sa dignité de bourgeoise et sans comprendre le désir de la jeune fille de conserver sa liberté et son honnêteté. Mais enfin, elle se montrerait assez accommodante : « si l'homme n'en vaut rien, l'argent en est bon, et encore meilleur que d'un bon chrétien, qui ne donnerait pas la moitié tant » (p. 100). La parole féminine est susceptible de méchanceté,

2. Cf. P. Hoffmann, *La femme dans la pensée des Lumières*, Ophrys, 1977.

d'aigreur, et Marivaux le montre bien dans l'épisode de l'entrevue chez le ministre qui trouve Marianne jolie « Eh ! pour une maîtresse, passe, répondit une autre dame d'un ton revêche » (p. 317). Mais il s'agit de personnages épisodiques : ni Marianne, ni même Mme de Miran ne pratiquent la parole agressive. Leurs propos restent toujours empreints, d'autre part, d'une décence aristocratique. Ce qui n'empêche certes pas chez Marianne la coquetterie[3]. La première scène avec Valville est une variation éblouissante sur le thème *Vorrei, non Vorrei,* digne d'annoncer Mozart. Et l'on passe du « Vous n'y songez pas ! Finissez donc, monsieur » (p. 74) à : « Non, monsieur, je ne vous hais pas (...) vous ne m'avez pas donné lieu de vous haïr, il s'en faut bien » (p. 76).

La parole féminine, n'est donc plus sous le coup des accusations des théologiens, juristes et médecins que nous évoquions plus haut, mais elle conserve des caractérisques issues de longues habitudes culturelles : elle n'est pas bêtement bavarde, elle est abondante et subtile ; elle n'est pas séductrice, elle est coquette ; elle n'est ni déréglée, ni folle : elle est sensible, ce qui, à mesure que progresse le XVIIIe siècle est de plus en plus considéré comme une qualité positive. Le langage de la femme est plus près de la nature, parce qu'il est plus proche du chant et du cri. Certes Rousseau n'a pas encore exprimé ces théories dans ses textes sur la musique, ni écrit *La Nouvelle Héloïse*. Néanmoins les théologiens ont toujours considérée la femme comme plus instinctive, plus proche de la nature, et par conséquent du péché. Mais, dans la mesure où le XVIIIe siècle amorce une grande réhabilitation de la nature humaine[4], le fait que le langage de la femme soit plus « naturel » devient une qualité positive.

Mais par quels procédés de style, le langage sensible[5] va-t-il s'inscrire dans le roman ? Rousseau voit dans les exclamations comme un langage tout à fait premier, antérieur au langage articulé ; elles reproduisent plus un cri qu'une parole. Or on notera

3. Cf. p. 59 : « Nous avons deux sortes d'esprit, nous autres femmes : le nôtre et l'esprit que la vanité de plaire nous donne, et qu'on appelle, autrement dit, la coquetterie ».

4. R. Mercier, *La réhabilitation de la nature humaine (1700-1750)*, Villenomble, La Balance, 1960. J. Ehrard, *L'idée de nature en France à l'aube des Lumières*, Flammarion, 1970 (rééd.).

5. On se reportera, bien entendu, à l'étude de F. Deloffre que nous avons souvent citée : *Une préciosité nouvelle, Marivaux et le marivaudage.*

l'abondance des phrases exclamatives dans *La Vie de Marianne*, et le nombre de fois où est noté un « Ah ! » : « Ah ! monsieur, m'écriai-je, que me proposez-vous là ? » (p. 77) : indignation vertueuse (peut-être pas absolument sincère ni « naturelle » d'ailleurs). Exclamations marquant la souffrance indicible de celle qui se découvre trahie : « Ah ! Seigneur ! m'écriai-je en pâlissant moi-même » (p. 367), lorsque Marianne entend les révélations de Mlle Varthon. Mais ce langage de la sensibilité n'est certes pas l'apanage des personnages féminins. Valville, dans la mesure où il est « sensible », est entraîné lui aussi dans ce langage de cris et de soupirs. « Dès qu'ils me virent tous deux (je vous l'ai déjà dit, je pense), ils s'écrièrent, l'une : Ah ! ma fille, tu es ici ! l'autre : Ah ! ma mère, c'est elle-même ! » (p. 325-326, cf. p. 318). Le langage sensible dominant dans *La Vie de Marianne* déborde en quelque sorte sur le héros qui, à vrai dire, semble toujours vivre dans l'« odor di femmina », entre sa mère et ses adoratrices successives.

En élaborant, ou du moins en perfectionnant ce langage de la sensibilité romanesque, Marivaux a mis au point toute une rhétorique dont ses successeurs se souviendront — et Rousseau en particulier (mais il n'est certes pas le seul !). Cette rhétorique ne se limite évidemment pas au recours très fréquent de l'exclamation, et de la phrase exclamative, comme prolongement du cri, expression directe de l'émotion. L'interrogation, fréquente, elle aussi, répond au même mouvement ; elle y est souvent associée, elle est susceptible de plus d'énergie et ajoute une nuance de désespoir ou de révolte : « Que je suis malheureuse ! Eh ! mon Dieu ! pourquoi m'avez-vous ôté mon père et ma mère ? » (p. 132). Mais Marianne-narratrice marque une certaine distance à l'égard de Marianne-personnage et de sa déclamation qu'elle juge trop emphatique : « Peut-être n'était-ce pas là ce que je voulais dire, et ne parlais-je de mes parents que pour rendre le sujet de mon affliction plus honnête » (p. 132). L'exclamation, l'interrogation, le cri appartiennent au registre de l'héroïne, non de la narratrice qui préfère le ton de l'analyse psychologique, plus subtile, plus sinueuse, sans heurt.

En revanche, il n'y a pas de différence fondamentale, chez Marianne-personnage, entre les moments de dialogue, et les moments de monologue, de délibération intérieure où l'on retrouve le même recours à la phrase exclamative pour marquer l'immédiateté de l'invasion du sentiment, et quitte même à supprimer le verbe principal : « Le moyen de le soupçonner d'autre chose (...) ! »

Néanmoins le recours à l'exclamation n'entraîne pas forcément la brièveté ; la réflexion se prolonge : « Le moyen de le soupçonner d'autre chose, lui qui m'aimait tant, qui venait dans la même journée de m'en donner de si grandes preuves ; lui que j'aimais tant moi-même, à qui je l'avais tant dit, et qui était si charmé d'en être sûr ! » (p. 353). La rythmique de la phrase est traditionnellement une partie importante de la rhétorique, et Marianne ne l'ignore pas. Son émotion s'exprime ici dans ce balancement binaire : lui/moi, le premier groupe soumis à une division binaire, et le second s'élargissant en une division ternaire. Souvent la juxtaposition de plusieurs membres de phrase permet un appronfondissement de l'intuition, un creusement de la réflexion : Valville n'a t-il pas remarqué la brusquerie avec laquelle Marianne lui a parlé ? « ou bien il la souffrit en homme qui la méritait, qui se rendait justice à son insu, et qui était coupable dans le fond de son cœur » (p. 352). La lenteur du tempo de *La Vie de Marianne* que nous avons eu l'occasion de souligner dans cette étude, se traduit dans ce balancement de la phrase où l'héritage de l'éloquence classique se trouve mis au service de l'expression de la sensibilité et de la réflexion d'une conscience.

On n'aurait pas de peine à retrouver les principales figures de rhétorique, à commencer par la plus célèbre peut-être, la litote très classique de Marianne déjà citée : « Non, monsieur, je ne vous hais pas, lui dis-je ; vous ne m'avez pas donné lieu de vous haïr, il s'en faut bien » (p. 76). La subtilité psychologique dont fait preuve Marianne, à tous les âges de la vie, d'ailleurs, se complaît aux antithèses : l'esprit des salons précieux dont héritent les salons du XVIIIe siècle que fréquente Marivaux, s'exprime dans ces formules paradoxales : Valville « ayant l'air content d'être privé de ce qu'il était au désespoir de perdre (...) part, s'avance à la porte de la salle... » (p. 78).

La répétition des termes fait partie de l'expression passionnée de la religieuse qui, elle, n'en est plus à utiliser la litote, et qui s'exprime d'ailleurs d'autant plus librement qu'elle s'adresse non à l'objet de son amour, mais à Tervire : « Je ne réponds de rien, si je le revois ; je suis capable de le suivre, je suis capable d'abréger ma vie, je suis capable de tout » (p. 461). La surprise du même mot devient un support à l'élan de la phrase, à l'angoisse et à la passion. D'où la religieuse tient-elle son billet ? « De mon ennemi mortel, d'un homme qui est plus fort que moi, plus fort que ma religion, que mes réflexions (...) ; d'un homme qui m'aime, qui a perdu la raison, qui veut m'ôter la mienne » (p. 460-461).

Il serait peut-être vain de croire cerner la facture de ce style sensible, en relevant systématiquement toutes les figures de rhétorique que l'on peut y trouver, puisque, ces mêmes figures se retrouveraient dans des textes d'un ton tout différent, par exemple dans un sermon d'éloquence religieuse dont le père Saint-Vincent donne un échantillon : les figures de rhétorique ne sont évidemment que des outils qui peuvent être employés à des effets fort divers. Il n'est pas indifférent néanmoins de montrer en quoi Marianne se trouve l'héritière de toute une rhétorique fort bien rodée par le siècle précédent et en quelque sorte codifiée ; il n'est pas indifférent non plus de montrer vers quelles formes vont ses prédilections. Et par exemple de noter l'usage relativement restreint de la métaphore et de la métonymie, fondamentales dans tout langage poétique : elles se situeraient davantage dans les réflexions de Marianne-narratrice (Paris « était pour moi l'empire de la lune », p. 17) que dans les dialogues où les personnages en sont finalement fort avares : le lyrisme des paroles échangées dans *La Vie de Marianne* repose davantage sur des effets de rythme de la phrase (répartition des fragments binaires et ternaires) que sur le recours à la métaphore. Cette extrême sobriété est à rapprocher probablement de l'absence, ou du moins de la rareté des paysages, des descriptions et de l'effacement du décor. La parole se poursuit dans un lieu en quelque sorte abstrait et pour elle-même ; elle ne s'incorpore pas le monde extérieur par le moyen de la métaphore, parce que ce monde concret demeure en quelque sorte distant et étranger. Les personnages n'ont pas besoin des choses, se servent de très peu d'objets, ne regardent pas la nature ; seule les intéresse cette parole elle-même qui se poursuit d'un personnage à un autre, qui se répond incessante, tantôt tendre, tantôt agressive, tantôt comme une arme, tantôt comme un miroir. Dans cet opéra, finalement, ce qui importe c'est la qualité des voix, et presque uniquement. Le fait que Marianne les transcrive ne leur enlève que très peu de leur oralité, comme une partition, pour être un « hiéroglyphe » aux yeux de Mallarmé, n'en perd pas sa musicalité, la transcription étant finalement le seul mode de transmission à une époque où le disque n'existe pas. Il n'empêche que le lecteur entend parler les personnages, plus qu'il ne les lit, plus qu'il ne les voit aussi. Il entend leur voix mimée par Marianne, ressuscitée par elle, à travers cette double distance : de Marianne à sa jeunesse, et de Marianne à son lecteur que le temps ne parvient pas à écarter.

Toutes les paroles sont donc redites, plus encore qu'écrites (on se rappelle les déclarations des « avertissements » sur le style parlé de Marianne) par cette femme qui a l'âge de Mme de Miran, qui a l'âge d'être la mère de la jeune fille qu'elle fut, et tout aussi bien de Valville. Voix véritablement maternelle qui pour le lecteur ramené à l'heureux état de l'enfant (« l'infans », celui qui ne parle pas) tient lieu d'univers ; chant qui tient lieu d'acte et de décor, d'action et de paysage. La toute puissance de la parole dans *La Vie de Marianne* que nous venons ici d'analyser à divers niveaux, nous ramène immanquablement à ce nœud, à ce véritable sujet jamais absolument avoué : la recherche de la mère. La mère qui le jour où s'est effectuée la grande rupture de la naissance, n'est plus qu'une voix (et peut être aussi des mains ; nous avons vu que finalement, du corps entier, il ne reste guère que la main dans ce roman ; le pied n'y peut être qu'un « accident » dans tous les sens du terme).

On aurait tort dès lors de s'étonner d'une certaine monotonie et d'une incontestable lenteur : c'est la monotonie et la lenteur du chant maternel. Le système du roman à la première personne rend plausible cette uniformisation des voix, puisque toute parole est redite par Marianne-narratrice. Ainsi s'autorise un refus de la différence qui fait partie des caractéristiques de l'univers maternant. Peu de différence d'un personnage à l'autre (sauf à deux moments qui apparaissent précisément comme un scandale, la voix populaire, rendue néanmoins décente par le filtrage qu'exerce la comtesse Marianne de...). L'écart d'un interlocuteur à l'autre est minimal : le strict nécessaire pour la vraisemblance ; mais c'est finalement la même parole qui se passe d'une bouche à l'autre. Refus de la différence encore entre la parole et les choses, puisque les choses ne parviennent au lecteur (à l'enfant) que parlées, interprétées par la narratrice (la mère). La parole suffit à établir la relation entre les personnages, et la relation au monde extérieur, parce que cette parole, c'est le chant de la mère : la mère enfin retrouvée non pas au niveau d'une intrigue banale qui amènerait une quelconque « reconnaissance », mais de façon beaucoup plus subtile, en transférant à la narratrice, dans son rôle de proférer la parole continue de ce roman, la situation de mère, par rapport à un lecteur que sa situation même de lecteur rétablit dans une relative passivité d'écoute qui est bien celle de la première enfance. Peut-être s'explique ainsi l'étrange bonheur que l'on peut trouver, pour peu que l'on se laisse bercer, à lire un roman où seuls les critiques remplis d'importance, et sûrs de leur jugement adulte, trouveront que décidément on y parle trop.

ÉPILOGUE

Parvenue au terme de notre lecture de *La Vie de Marianne*, nous ne pouvons manquer d'être frappée par la grande cohérence des thèmes et des structures de cette œuvre prétendûment inachevée. Du sang de la mère qui marque la petite Marianne seule survivante du drame du carrosse, à la mère retrouvée par Tervire, au terme aussi d'un voyage en carrosse ; d'une mère blessée mortellement par un accident à une autre mère blessée par la société et l'ingratitude d'un fils, tout s'organise comme une recherche de la mère absente. Il ne reste en effet à Marianne et à Tervire qu'à se trouver des substituts plus ou moins éphémères : la sœur du curé, la Dutour dont la vulgarité blesse l'âme noble de Marianne, Mme de Miran qui l'enchante — mais avec qui elle tremble toujours que le lien filial soit détruit par l'opposition de la famille ou par l'infidélité de Valville ; puis Tervire qui elle-même assume à l'égard de Marianne une fonction quasi maternelle de conseillère, se met à son tour à décliner son histoire, c'est à dire à raconter une absence et comment un certain nombre de femmes vont tenir auprès d'elle le rôle de la mère. Rien d'étonnant dès lors si la structure fondamentale de la scène romanesque consiste en une succession de scènes de reconnaissance, dans l'attente, toujours différée et jamais résolue, d'une scène qui permettrait à Marianne de retrouver sinon sa mère, du moins le nom de ses parents. Mais il est bien évident que cette scène ne peut avoir lieu, puisque la rencontre avec la mère est exclue : elle est morte, et que la rencontre de témoins qui pourraient parler d'elle à Marianne ne saurait remplacer cette reconnaissance impossible. Marianne en est donc réduite à écouter et à transcrire le récit des retrouvailles de Tervire et de sa mère, et finalement à tenir elle-même, dans sa situation de narratrice quinquagénaire, le rôle de mère à l'égard de la jeune fille qu'elle a été.

Les lieux dans lesquels l'action se déroulent ont un caractère nettement maternant : le carrosse, la chambre, le parloir sont autant de figures de cette recherche d'un refuge, d'un asile où retrouver la mère, tandis que les vastes paysages d'extérieur sont exclus où l'être se perdrait, alors qu'il ne cherche qu'à se retrouver ; l'espace urbain n'est acceptable que si l'héroïne le traverse protégée dans un carrosse ; sinon, très vite, à l'ivresse de la nouveauté, succède l'angoisse. Le lieu idéal est finalement le parloir où se déroule sans fin le dialogue de Marianne et de Mme de Miran, de la mère et de la fille, ou encore la chambre conventuelle où Marianne écoute Tervire. Cette fixation à la mère peut être une explication du voile qui estompe la sexualité dans *La Vie de Marianne* (tandis qu'elle est si présente dans *Le Paysan parvenu*). Les intrigues amoureuses finalement n'existent que dans la mesure où elles permettent de se rapprocher de la mère : Marianne ne pleure l'infidélité de Valville, que parce qu'elle risque ainsi de devoir quitter Mme de Miran ; Tervire aime Dursan qui est le petit-fils de sa mère d'adoption : il s'agit toujours finalement d'aimer le fils de sa mère, un frère qui n'a de véritable intérêt que par référence à la mère. Inversement tout amour avec une figure paternelle est exclu, ridicule, avilissant, et Marianne éprouve encore plus de répulsion pour Climal que Tervire pour M. de Sercour.

Ce corps de la mère toujours désiré ne saurait être représenté, et c'est pourquoi il est posé comme mort, dès le début de l'aventure. C'est pourquoi aussi le corps s'inscrit dans le texte si chastement, jamais véritablement présent, ramené à un regard, à une silhouette, à peine à une teinte de cheveux. La présence du corps dans ce roman se résume finalement surtout à des mouvements de la main. Le véritable échange entre les personnages n'est pas un corps-à-corps amoureux ou agressif (sinon dans l'épisode du cocher qui fait exception et détonne, au sens propre) mais une parole-à-parole. Tout est voix, et voix de femme surtout. Le lecteur doit apprendre à se laisser bercer par la lenteur de la voix. Il ne lui faut pas être pressé pour retrouver l'enchantement de cette vie prénatale, avant que le temps ne commence. La lenteur du tempo est une forme de cette nostalgie des origines.

Cette vaste quête de la mère est aussi une recherche de l'identité, et là encore l'histoire de Marianne et celle de Tervire se complètent et se répondent. Marianne qui sait que sa mère est morte, est surtout soucieuse d'affirmer son identité ; Tervire, au contraire, connaît son identité, et son état-civil ne fait pas de doute ; il lui faut retrouver la personne et l'affection de sa mère. Néanmoins les deux quêtes apparaissent comme conjointes ; trouver sa mère, c'est affirmer qui on est, dans cet univers où les pères sont curieusement absents. Ainsi se révèle une discordance entre le roman et la société patriarcale dans laquelle il a été écrit où c'est le père qui donne l'identité et le nom, où la recherche de la mère ne permet que de retrouver le nom du père, selon le fameux adage : *pater is est quem nuptiae demonstrant*. Marianne quand elle a retrouvé sa place dans la société porte le nom de son père ou de son mari : aussi ne figure-t-il que par un blanc dans les sous-titre : « Les aventures de Madame la comtesse de... ». Certes c'est là une habitude romanesque de l'époque ; dans l'univers de *La Vie de Marianne*, ce silence, ce blanc n'en prend pas moins un sens, à rattacher à une certaine difficulté qu'éprouve Marivaux à nommer ses personnages (le nom n'arrive qu'avec retard au moment de la présentation).

A ce point de notre réflexion, nous aurions pu être tentée par une psychanalyse de Marivaux. Nous n'avons pas voulu nous aventurer dans cette voie et pour de multiples raisons. D'abord celle-ci : nous ne savons presque rien des relations de Marivaux et de sa mère ; mais nous savons pourtant, ce qui n'est pas sans importance, qu'elle s'appelait : Marie-Anne[1]. Si j'avais voulu pousser plus loin, j'aurais abouti à des hypothèses privées de fondement. Posséderions-nous une masse de documents à ce sujet, la tentation eût peut-être été plus forte, mais je persiste à croire qu'il eût été sage de la repousser. Voir dans *La Vie de Marianne* une nostalgie de Marivaux pour sa mère, pour l'univers utérin, c'est finalement limiter l'intérêt de l'analyse thématique et structurale à la psychologie d'un homme producteur d'un texte. Et l'on a suffisamment dénoncé, ces dernières années, les méfaits du biographisme, pour qu'il ne soit pas nécessaire d'y revenir. Une psychanalyse du texte, telle que J. Bellemin-Noël, dans son ouvrage[2], nous la propose, était

1. On pourrait aussi remarquer une certaine ressemblance phonétique entre « Marianne » et « Marivaux ».

2. *Vers l'inconscient du texte*, P.U.F., 1979.

séduisante. Encore n'est-ce pas cette voie que j'ai empruntée, sinon très épisodiquement. Les assises théoriques sur lesquelles il eût fallu s'appuyer, je ne les possédais pas avec une suffisante fermeté pour m'y confier sans inquiétude.

J'ai préféré tenter une étude plus strictement littéraire, cherchant passionnément à retrouver la cohérence du texte dans ses thèmes et ses structures, et par cette étude me voyant toujours ramenée à la féminité. Finalement la question qui se posait était à la fois toute simple et terriblement difficile. Partant de cette évidence : Marivaux est un homme ; il fait parler une femme, je m'interroge : comment un écrivain de la première moitié du dix-huitième siècle, et en particulier comment Marivaux se représente-t-il la féminité ? comment inscrit-il dans son texte les marques de cette féminité, comment la fait-il parler ?

Un autre écueil m'attendait : il est bien évident que je n'ai absolument pas voulu définir ce qu'est la féminité en soi : question posée avec âpreté par notre époque et qui ne semble pas près de trouver une réponse. Existe-t-il une écriture propre à la femme ? Le problème est si ardu que j'y ai consacré un ouvrage apportant non une solution, mais peut-être quelques clartés[3]. Marivaux a certainement à l'esprit des textes romanesques écrits par des femmes ; l'on songe tantôt aux Précieuses, tantôt à Mme de la Fayette, tantôt à Mme de Villedieu ou à Mme de Tencin, et l'on pourrait sans peine allonger l'énumération[4]. Laissons la question de savoir si ces romancières sont parvenues à constituer un véritable langage de la féminité. Quoiqu'il en soit, ce langage, chez Marivaux, ne peut-être qu'imité, feint, fictif — et c'est précisément là que se situe l'intérêt.

Marivaux voulant prêter à Marianne une écriture de femme[5], va se trouver amené à privilégier des valeurs plus ou moins refoulées par l'esthétique classique et quelque peu dissidentes : l'oralité, la prolixité, l'irrationnalité. Il n'est peut-être pas sans intérêt de noter que ce sont précisément ces valeurs qu'entreprend de sauver ou de ressusciter un Perrault lorsqu'il publie ses *Contes* dès 1697,

3. *L'écriture-femme*, P.U.F., 1981.

4. Il peut-être amusant de remarquer les ressemblances de style qui existent entre le portrait de Mme de Miran que donne Marivaux, et les portraits écrits par Mme de Lambert — qui est justement le modèle de Mme de Miran — et publiés ultérieurement, mais dont Marivaux, fidèle de son salon, a certainement eu connaissance avant la publication (*Œuvres*, 2 vol. 1748). Cf. F. Deloffre, *op. cit.*

5. Et y réussissant si bien qu'il était tentant pour une femme, Mme Riccoboni, d'écrire une *Suite de Marianne*.

et que Marivaux par ses amitiés et les fréquentations de sa jeunesse, comme par ses convictions esthétiques et philosophiques, est un « Moderne ». Laisser parler (même si finalement il s'agit d'écrire) la femme à une époque où sa liberté est fort limitée par les structures sociales et juridiques, c'est du même coup engager l'écriture dans un processus de libération. Et peut-être s'explique ainsi le paradoxe : que Marivaux charge de la narration une héroïne de roman, pour libérer en lui non seulement un certain nombre de fantasmes qu'il est possible de décrypter dans le texte, mais plus généralement pour libérer la parole du contrôle rationnel, pour lui rendre sa fluidité, son courant, et finalement pour se sentir vraiment libre, et du même coup libérer l'écriture[6].

6. Quelques fragments de cet essai ont paru dans *Saggi e ricerche di letteratura francese*, Rome, 1980, vol. 19 : *Revue des sciences humaines,* avril-juin 1981 ; *Versants*, Neuchâtel, 1983 ; *Au bonheur des mots*, Mélanges en l'honneur de Gérald Antoine, P,U, Nancy, 1984 ; *Standford French review*, 1987. Le point de départ de ces réflexions avait été un cours d'agrégation que j'avais fait à Paris VII, il y a quelques années.

TABLE DES MATIÈRES

PRÉAMBULE 7

I. NARRATRICE ET NARRATAIRE 11

II. LE TEMPS DU RÉCIT 25

III. STRUCTURES 45

IV. PERSONNAGES 65
— Fonctions 65
— Le nom, le vêtement, le corps 83

V. LIEUX ET ESPACE 99

VI. L'OBJET/LA LETTRE 119

VII. PAROLES ET SILENCES 129
— Pauses 129
— L'invasion de la parole 133
— Langages 141
— La féminité 151

ÉPILOGUE 159

Photocomposé en Times de 10
et achevé d'imprimer en Novembre 1987
par l'Imprimerie de la Manutention à Mayenne